El economista naturalista

ATALAYA

312

ROBERT H. FRANK

El economista
naturalista

En busca de explicaciones
para los enigmas cotidianos

TRADUCCIÓN DE CARLOS FERNÁNDEZ-VICTORIO HERNÁNDEZ

|꒐

EDICIONES PENÍNSULA

BARCELONA

Primera edición: mayo de 2008.
© de la traducción: Carlos Fernández-Victorio Hernández, 2008.
© de esta edición: Grup Editorial 62, S.L.U.,
Ediciones Península,
Peu de la Creu 4, 08001-Barcelona.
correu@grup62.com
grup62.com

VÍCTOR IGUAL · fotocomposición
LIMPERGRAF · impresión
DEPÓSITO LEGAL: B. 17.129-2008.
ISBN: 978-84-8307-826-6.

A

Thomas C. Schelling

ÍNDICE

AGRADECIMIENTOS

Cuando comencé a impartir cursos introductorios de economía, un colega más experimentado me aconsejó que iniciase las clases con una ocurrencia divertida. Según él, eso hace que los estudiantes empiecen de buen humor y estén más receptivos el resto de la clase. No seguí su consejo. No es que me pareciese que él no tenía razón. Más bien, pensé que iba a ser muy difícil que se me ocurriese cada vez un chiste relevante y que contar uno irrelevante era demasiada complacencia.

Sin embargo, la suerte ha querido que me haya venido a la mente un chiste que podría ser un punto de arranque perfecto para este libro. El escenario del chiste es Boston, una ciudad famosa por sus taxistas instruidos, muchos de ellos antiguos estudiantes de Harvard o del Instituto Tecnológico de Massachusetts que no han llegado a terminar los estudios:

Una mujer llega al aeropuerto de Logan, recoge su equipaje y se mete en un taxi deseosa de cenar un buen plato de pescado de Nueva Inglaterra. «Lléveme a un sitio donde puedan darme bacalao»,* le dice al taxista.

El taxista arquea las cejas, se da la vuelta y dice: «Es la prime-

---

* «Take me to a place where I can get scrod.» *Scrod* significa 'bacalao joven', pero el taxista interpreta este sustantivo como si fuese un participio irregular del verbo regular *to screw*, que en inglés vulgar significa 'poseer sexualmente a alguien'. Por tanto, en la interpretación del taxista, la frase de la mujer significaría: «Lléveme a un sitio donde puedan poseerme sexualmente». Por otro lado, aun suponiendo que *scrod* fuese una forma válida del participio del verbo *to screw*, la expresión *can get scrod* sería una perífrasis verbal y no un pretérito pluscuamperfecto de subjuntivo. (*N. del t.*)

II

ra vez que oigo decir eso en pretérito pluscuamperfecto de subjuntivo».

Pocas personas saben lo que es el pretérito pluscuamperfecto
de subjuntivo. Yo tampoco, o no sabía que lo sabía, así que
miré este tiempo verbal en el buscador Ask Jeeves:

El pretérito pluscuamperfecto de subjuntivo es un tiempo verbal
que se usa para expresar una situación hipotética o una acción que
no es real. En este caso, el verbo de la oración principal está en potencial y es preciso emplear el subjuntivo en la oración subordinada.

He aquí un ejemplo de finales de los noventa que resultará conocido a los aficionados de los Yankees de Nueva York. Cuando Chuck Knoblauch, el jugador que cubría la segunda base,
falló inexplicablemente el corto lanzamiento a Tino Martinez,
el jugador de la primera base, se dijo: «Los Yankees habrían
cerrado la entrada si Knoblauch hubiese hecho bien el lanzamiento a la primera base».
   Partiendo de la definición y del ejemplo, es fácil ver que la
mujer del chiste no empleó en absoluto el pretérito pluscuamperfecto de subjuntivo. Si el chiste funciona es porque muchos
no tenemos la menor idea de lo que es ese tiempo verbal.
   ¿Es eso grave? Algunos psicólogos han postulado que no
podríamos desarrollar un pensamiento contrafáctico claro sin
un conocimiento específico y detallado de los diversos tiempos verbales. Pero esta afirmación no se sostiene. Piénsese,
por ejemplo, en los locutores deportivos de Estados Unidos.
Aunque la mayoría de ellos parecen desconocer el pretérito
pluscuamperfecto de subjuntivo, manejan perfectamente el
razonamiento contrafáctico. Prueba de ello es que, durante
esos partidos de finales de los noventa, el locutor de los Yankees, Bobby Murcer, solía decir: «Knoblauch hace bien el lanzamiento y han cerrado la entrada».
   Conocer la gramática del condicional irreal no es malo.

Pero, si lo que pretendemos es aprender un idioma nuevo, el tiempo y esfuerzo que requiere el aprendizaje explícito y detallado de este tiempo verbal puede emplearse mucho más eficientemente. Los cursos que se centran en este tipo de detalles, además de aburrir a los estudiantes, son increíblemente ineficaces.

Yo estudié cuatro años de español en el instituto y año y medio de alemán en la universidad. En las clases, pasábamos mucho tiempo con el pretérito pluscuamperfecto de subjuntivo y demás misterios de la gramática que los profesores consideraban importantes. Pero no aprendimos a hablar. Cuando viajé por España y Alemania, me costó mucho expresar en esos idiomas hasta las ideas más elementales. A muchos de mis amigos les ocurrió lo mismo.

Empecé a sospechar que hay una manera más efectiva de aprender idiomas durante la instrucción que recibí antes de incorporarme como voluntario al Cuerpo de Paz estadounidense en Nepal. El curso duró sólo trece semanas y fue completamente distinto a los que había recibido antes. En ningún momento se mencionó el pluscuamperfecto de subjuntivo. El objetivo era que aprendiésemos a hablar nepalés en muy poco tiempo, no podíamos detenernos en los entresijos de los tiempos verbales. El método consistía en imitar la manera en que los niños aprenden su lengua materna.

El profesor comenzó con frases sencillas y nos hizo repetirlas muchas veces. La primera era: «Este sombrero es caro». Dado que en las tiendas nepalesas se regateaba todo, era una frase útil. El paso siguiente era introducir un sustantivo nuevo—por ejemplo calcetines—, e inmediatamente teníamos que decir la frase «estos calcetines son caros» en nepalés. Se trataba de que respondiésemos sin pensar.

En seguida, los profesores tomaron un ejemplo sencillo de la vida cotidiana, nos hicieron practicarlo varias veces y, luego, nos pidieron que siguiéramos repitiéndolo con ligeras variaciones. En cuanto conseguíamos manejarnos en un determinado nivel, pero no antes, nos hacían avanzar un poco más.

El curso tenía que lograr que estuviésemos preparados para asumir nuestras funciones al cabo de trece semanas. Mis compañeros de voluntariado y yo íbamos a enseñar ciencias y matemáticas en nepalés poco después de llegar al país. Habíamos empezado de cero, pero lo logramos. El propio proceso de aprendizaje creaba una sensación de potencia que nunca había experimentado en los cursos de idiomas convencionales.

Por eso, en primer lugar quiero agradecer a los profesores de nepalés que, hace muchos años, me hicieron ver la extraordinaria eficacia de un método de aprendizaje en el que menos es más. En las décadas siguientes, mis alumnos y yo hemos descubierto que este enfoque puede transformar asimismo el aprendizaje de los conceptos básicos de economía.

En la mayoría de los cursos introductorios de economía, los estudiantes pasan gran parte del tiempo lidiando con el equivalente económico del pretérito pluscuamperfecto de subjuntivo. En cambio, los conceptos económicos que el lector encontrará en este libro aparecen sólo en el contexto de ejemplos extraídos a partir de situaciones conocidas que dichos conceptos ayudan a esclarecer. Aprender economía es como aprender a hablar un idioma. Es importante empezar despacio y ver una misma idea en múltiples contextos. Si llega a la conclusión de que esta manera de aprender es mejor que la del curso introductorio de su universidad, quítese el sombrero ante mis profesores de nepalés.

Este libro es obra de muchas mentes lúcidas. Hal Bierman, Chris Frank, Hayden Frank, Srinagesh Gavirneni, Tom Gilovich, Bob Libby, Ellen McCollister, Phil Miller, Michael O'Hare, Dennis Regan y Andy Ruina reconocerán las múltiples mejoras que me han permitido realizar sus comentarios a las primeras versiones. No podría agradecer suficientemente su aportación. Otros han contribuido de forma indirecta. Algunos lectores reconocerán las ideas de mi antiguo profesor George Akerlof y de mi antiguo colega Richard Thaler en muchos de los ejemplos del libro. Pero a quien más debo intelectualmente es a Thomas Schelling, el economista naturalista más importante que hay con vida. Le dedico este libro.

Asimismo, quiero expresar mi agradecimiento a Andrew Wylie y William Frucht, sin cuyos esfuerzos este libro difícilmente habría acabado en las manos del lector. Doy también las gracias a Piyush Nayyar, Elizabeth Seward, Maria Cristina Cavagnaro y Matthew Leighton por la incalculable ayuda que me han prestado en la investigación, así como a Chrisona Schmidt por su extraordinaria labor de edición.

Ha sido un placer trabajar con Mick Stevens, cuyos dibujos ilustran muchos de los ejemplos de este libro. No soy muy propenso a la envidia, pero, si hay alguna profesión que podría haberme divertido más que la mía, sería la suya. A lo largo de los años, he intentado, cuando me ha sido posible, utilizar dibujos sencillos u otras ilustraciones que tuvieran alguna relación con los ejemplos que exponía en clase. Por motivos que probablemente los pedagogos podrían explicar, esta práctica hace que las ideas se asienten mejor en la mente de los estudiantes, a pesar de que mis dibujos suelen ser ridículamente toscos y carecen de contenido económico específico. Animo a los estudiantes a que creen sus propias imágenes para acompañar las ideas nuevas que vayan encontrando. «¡Hagan garabatos en los apuntes!», les digo. Ha sido un lujo para mí describir las ideas de los dibujos a uno de mis dibujantes humorísticos preferidos de la revista *New Yorker* y, normalmente a los pocos días, verlas plasmadas mucho mejor de lo que habría podido imaginar.

Estoy especialmente agradecido al John S. Knight Institute for Writing in the Disciplines por haberme integrado en su programa de Cornell a principios de los años ochenta. Si no hubiese participado en ese programa, no habría iniciado la serie de trabajos escritos del economista naturalista que dio lugar a este libro.

Sobre todo, quiero dar las gracias a mis estudiantes por los trabajos llenos de vitalidad que han presentado y que han inspirado este libro. Sólo una pequeña parte de las cuestiones que plantearon han llegado al texto final. Las que sí han llegado son magníficas precisamente por el esfuerzo de los miles de ensayos entre los que pude elegir.

La mayoría de las preguntas incluidas en este libro han sido inspiradas directamente por los trabajos de los estudiantes. Al final de cada una de ellas, consigno el nombre del estudiante entre paréntesis. Unas cuantas preguntas fueron inspiradas por artículos o libros, la mayoría escritos por economistas; en ese caso, también hago constar el nombre del autor entre paréntesis. Cuando no figura ningún nombre, suele tratarse de preguntas basadas en ejemplos que he extraído de mis obras o que he ideado para mis clases.

Sin embargo, hay tres preguntas inspiradas por trabajos de estudiantes cuyo nombre sigo sin conocer. Las enumero aquí con la esperanza de que los autores se identifiquen a fin de incluir sus nombres en las siguientes impresiones: (1) ¿Por qué se envasa la leche en recipientes rectangulares, mientras que los refrescos se envasan en recipientes redondos? (pp. 40-41); (2) ¿Por qué muchos bares cobran el agua a sus clientes, pero les regalan los cacahuetes? (p. 58) y (3) ¿Por qué las empresas de alquiler de coches no aplican ninguna penalización por cancelar una reserva en el último minuto, mientras que los hoteles y las aerolíneas cobran gastos considerables? (pp. 132-133).

En reconocimiento y agradecimiento por las contribuciones de mis antiguos estudiantes, dono la mitad de los derechos de autor procedentes de este libro al John S. Knight Institute for Writing in the Disciplines de Cornell. Estoy plenamente convencido de que, hasta el último dólar, ninguna otra donación podría contribuir más al aprendizaje de los futuros estudiantes de Cornell.

INTRODUCCIÓN

¿Por qué las teclas de los cajeros automáticos para automovilistas tienen puntos braille? Los clientes de esas máquinas son casi siempre conductores y los conductores no están ciegos. Según Bill Tjoa, antiguo alumno mío, los fabricantes de cajeros automáticos tienen que hacer de todos modos teclados con puntos braille para los clientes que van a pie y les resulta más barato hacer todas las máquinas iguales. La otra alternativa es tener dos tipos de existencias diferentes y preocuparse de que cada máquina llegue a su destino correspondiente. Si los puntos braille ocasionasen problemas a los usuarios que tienen la vista normal, el gasto adicional estaría justificado. Pero no es así.

Dibujo de Mick Stevens

*Puntos braille en el teclado de los cajeros automáticos para automovilistas:
¿por qué no?*

La pregunta de Bill Tjoa era el título de uno de los dos breves trabajos del «economista naturalista» que presentó para mi curso de economía elemental. En concreto, se trataba de que el alumno «utilice un principio o varios de los que se habían estudiado en el curso para plantear y responder a una pregunta interesante sobre algún hecho o comportamiento frecuente que haya observado personalmente».

«El número máximo de palabras—escribí—es 500. Hay muchos trabajos excelentes que son bastante más breves. Por favor, no recargue su ensayo de terminología abstrusa. Imagine que está hablando con un familiar que nunca ha estudiado economía. Los mejores trabajos son los que puede entender un lego y, normalmente, en esos trabajos no hay operaciones matemáticas ni gráficas».

Las mejores preguntas, igual que la pregunta de Bill Tjoa sobre los teclados de los cajeros automáticos, contienen una paradoja. Por ejemplo, la pregunta que más me gusta de todas es la que planteó en 1997 Jennifer Dulski: «¿Por qué las novias gastan tanto dinero—a menudo, miles de dólares—en vestidos que no van a volver a ponerse, mientras que los novios suelen alquilar trajes y chaqués baratos a pesar de que los van a necesitar en muchas ocasiones?».

La razón que adujo Dulski era que, como la mayoría de las novias quieren marcar estilo el día de su boda, las empresas de alquiler tendrían que disponer de enormes existencias de vestidos variados, tal vez cuarenta o cincuenta por talla. En consecuencia, las prendas se alquilarían muy de cuando en cuando, quizás una vez cada cuatro o cinco años. La empresa, sólo para cubrir gastos, tendría que cobrar por el alquiler una cantidad superior al precio de la prenda. Puesto que comprar sería más barato que alquilar, nadie alquilaría. En cambio, como los novios están dispuestos a conformarse con un estilo convencional, las empresas de alquiler pueden abastecer este mercado con unas existencias de dos o tres trajes por talla. Cada traje se alquila varias veces al año, lo cual hace posible que el precio del alquiler sea una mínima parte del precio de compra.

Este libro es una colección de los ejemplos del economista naturalista más interesantes que he reunido a lo largo de los años. Está pensado para personas que, como Bill Tjoa y Jennifer Dulski, disfrutan desentrañando los misterios del comportamiento humano cotidiano. Aunque muchas personas consideran que la economía es una materia cabalística y abstrusa, lo cierto es que sus principios básicos, lejos de ser complicados, están llenos de sentido común. Ver cómo se aplican estos principios dentro de ejemplos concretos es una buena oportunidad para dominarlos sin esfuerzo.

Por desgracia, no es así como se suele enseñar la economía en las universidades. Poco después de incorporarme a la Universidad de Cornell, muchos amigos de diferentes ciudades me enviaron esta viñeta de Ed Arno:

Dibujo de Ed Arno © 1974 The New Yorker Magazine, Inc.

«Me gustaría presentarle a Marty Thorndecker. Es economista, pero le aseguro que es muy majo».

Las viñetas son información. El que la gente las encuentre graciosas nos dice algo del mundo. Ya antes de que se publicara la viñeta de Arno, había comenzado a darme cuenta de que las personas que conocía en reuniones sociales parecían quedar decepcionadas cuando, al preguntarme a qué me dedicaba, se enteraban de que era economista. Empecé a preguntar por qué. Ahora que lo pienso, muchos mencionaban las clases de economía elemental que habían recibido años atrás «con todas esas gráficas horribles».

El 19 por 100 de los universitarios estadounidenses asisten solamente a un curso de economía, otro 21 por 100 asisten a más de uno y sólo el 2 por 100 estudian la licenciatura.[1] Un porcentaje insignificante de éstos realiza el doctorado en economía. Sin embargo, muchos cursos introductorios de economía, repletos de ecuaciones y gráficas, están dirigidos a esa exigua minoría.

El resultado es que la mayoría de los que se matriculan en esos cursos aprenden poco. Cuando, seis meses después del curso, se hacen pruebas para evaluar sus conocimientos de economía elemental, no obtienen resultados significativamente mejores que los que no han asistido a ningún curso.[2] Eso es escandaloso. ¿Cómo es posible que las universidades cobren miles de dólares por un curso que no añade ningún valor?

Parece que no se están entendiendo ni siquiera los principios más básicos de la economía. Si el lector ha estudiado alguna vez un poco de economía, al menos le sonará la expresión «coste de oportunidad». El coste de oportunidad de realizar algo es el valor de todo aquello a lo que tiene que renunciar para hacerlo.

Para ejemplificar este concepto, suponga que le ha tocado una entrada gratis para ir esta noche a un concierto de Eric Clapton. No puede venderla. Bob Dylan toca también esta noche y su concierto es la única alternativa que considera. La entrada para el concierto de Bob Dylan cuesta 40 dólares y estaría dispuesto a pagar hasta 50 por verlo cualquier día. (Dicho de otro modo, si la entrada de Bob Dylan costase más de 50 dólares, no iría a verlo aunque no tuviese otra cosa que hacer.) No hay más costes que considerar en ninguno de los dos casos. ¿Cuál es para usted el coste de oportunidad de asistir al concierto de Eric Clapton?

Si va al concierto de Eric Clapton, tiene que renunciar al concierto de Bob Dylan, que es la única actividad alternativa por la que estaría dispuesto a pagar dinero. Si no va a este concierto, deja de ver una actuación que habría tenido para usted un valor de 50 dólares, pero ahorra los 40 que habría tenido que pagar por la entrada de Bob Dylan. Por tanto, el valor de aquello a lo que renuncia es 50 − 40 = 10 dólares. Si ver a Eric Clapton tiene para usted un valor de al menos 10 dólares, debería ir a este concierto. De lo contrario, debería ir al de Bob Dylan.

Todos los economistas coinciden en que el coste de oportunidad es uno de los dos o tres conceptos más importantes de la economía elemental. Sin embargo, existen pruebas fehacientes de que la mayoría de los estudiantes no manejan este concepto de forma mínimamente aceptable.[3] Recientemente, los economistas Paul Ferraro y Laura Taylor plantearon la pregunta Clapton/Dylan a varios grupos de estudiantes para ver si sabían responder. Los encuestados sólo tenían que elegir entre cuatro posibilidades:

a) 0 dólares,
b) 10 dólares,
c) 40 dólares,
d) 50 dólares.

Como se ha dicho, la respuesta correcta es 10 dólares, que es el valor de lo que usted sacrifica si no va al concierto de Bob Dylan. Sin embargo, cuando Ferraro y Taylor hicieron esta pregunta a 270 universitarios que habían asistido a un curso de economía, sólo el 7,5 por 100 eligió la respuesta correcta.

Dado que sólo había cuatro posibilidades, si los estudiantes hubiesen respondido al azar, habría habido un 25 por 100 de respuestas correctas. Parece que, en este caso, tener algunas nociones es peor que no tenerlas.

Ferraro y Taylor hicieron la misma pregunta a 88 estudiantes que no habían asistido nunca a un curso de economía. El 17,2 por 100 de ellos acertaron, más del doble de los que habían estudiado economía, pero todavía por debajo del azar.

¿Por qué no obtuvieron mejores resultados los estudiantes? Sospecho que la principal razón es que el coste de oportunidad es uno más entre los cientos de conceptos con que los profesores bombardean a los estudiantes en los típicos cursos introductorios. En consecuencia, los estudiantes apenas se quedan con una noción vaga de este concepto. Si los estudiantes no se detienen suficientemente en él y no lo utilizan una y otra vez en ejemplos diferentes, no lo retienen.

Pero Ferraro y Taylor van más allá: tal vez los profesores de economía tampoco dominan el concepto básico de coste de oportunidad. En 2005, durante las reuniones anuales de la Asociación Económica Americana, los investigadores plantearon la misma cuestión a una muestra de 199 economistas profesionales. Sólo el 21,6 por 100 eligió la respuesta correcta, el 25,1 por 100 pensó que el coste de oportunidad de asistir al concierto de Eric Clapton era 0 dólares, el 25,6 pensó que era 40 dólares y el 27,6 por 100 pensó que era 50 dólares.

Cuando Ferraro y Taylor examinaron los principales manuales introductorios de economía, descubrieron que la mayoría no dedicaban suficiente atención al concepto de coste de oportunidad como para que los estudiantes pudiesen responder a la pregunta Dylan/Clapton. Asimismo, constataron que este concepto no recibe un tratamiento extenso y profundo en los manuales de niveles superiores y que la expresión «coste de oportunidad» ni siquiera aparece en los índices de los principales manuales de microeconomía utilizados en la licenciatura.

Sin embargo, el coste de oportunidad ayuda a explicar un gran número de comportamientos interesantes. Pensemos, por ejemplo, en las consabidas diferencias culturales entre las grandes ciudades costeras de Estados Unidos y las ciudades pequeñas de la región central. ¿Por qué los vecinos de Manhattan suelen ser antipáticos e impacientes y, en cambio, los habitantes de Topeka amables y corteses?

Sin duda, alguien puede no estar de acuerdo con esta afirmación, pero la mayoría de la gente piensa que no se aleja mucho de la realidad. Si preguntamos en Topeka cómo se llega a un sitio, la gente se para y nos ayuda; en Manhattan, es posible que ni nos miren a los ojos. Dado que Manhattan es la zona urbana con el salario medio más alto y con la mayor oferta de actividades del mundo, el coste de oportunidad del tiempo de sus habitantes es muy alto. Por tanto, no es nada raro que los neoyorquinos se impacienten antes.

Llamo ensayos del «economista naturalista» a la serie de trabajos que he pedido a mis alumnos porque está inspirada en el tipo de preguntas que un curso introductorio de biología permite responder al estudiante. Quien sabe algo de la teoría de la evolución puede ver cosas que no había advertido antes. La teoría identifica elementos y regularidades del mundo que es estimulante reconocer y considerar.

Un ejemplo típico de pregunta darwiniana[4] es: ¿Por qué los machos son más grandes que las hembras en la mayoría de las especies de vertebrados? Un elefante marino macho, por ejemplo, puede llegar a medir más de seis metros de largo y pesar tres mil kilos—tanto como un todoterreno familiar—, mientras que las hembras sólo pesan entre cuatrocientos y seiscientos kilos.

En la mayoría de las especies de vertebrados se observa un dimorfismo sexual similar a éste. La explicación darwiniana es que casi todos los vertebrados practican la poliginia, es decir, los machos, si pueden, tienen más de una pareja y, para ello, compiten por las hembras. Los machos de esta especie se pe-

¿Por qué el macho del elefante marino es mucho más grande que la hembra?

lean en la playa durante horas hasta que uno de ellos se retira extenuado y bañado en sangre.

Los ganadores de estas batallas disfrutan de un derecho sexual casi exclusivo sobre harenes de hasta cien hembras.[5] Este extraordinario premio darwiniano explica que los machos tengan un tamaño mucho mayor. Cuando una variación genética hace que un macho sea más grande, éste aumenta sus posibilidades de ganar las peleas con los demás machos y, consecuentemente, su gen aparecerá con más frecuencia en la siguiente generación. En resumen, la razón de que los machos sean tan grandes es que los individuos de menor tamaño casi nunca consiguen aparearse con las hembras.

De forma parecida se explica el hecho de que los pavos reales tengan esplendorosas capas de plumas. Se han realizado experimentos que demuestran que las hembras prefieren pavos con plumas grandes en la cola. Se piensa que estas plumas son una señal de buena salud porque los machos invadidos por parásitos no tienen la cola larga y brillante.

Tanto el tamaño del elefante marino macho como el plumaje del pavo real son ventajas individuales de los machos que resultan perjudiciales desde el punto de vista del grupo. Por ejemplo, a un macho de tres mil kilos le cuesta mucho más huir de un gran tiburón blanco, su principal depredador. Si todos los machos pudiesen reducir su peso a la mitad, todos y cada uno de ellos saldrían beneficiados. Los ganadores de las batallas seguirían siendo los mismos, pero todos serían menos vulnerables a los depredadores. Del mismo modo, si las colas de todos los pavos reales se redujesen a la mitad, las hembras seguirían eligiendo a los mismos machos y todos los pavos huirían más fácilmente de los depredadores. Pero los machos de elefante marino tienen que aguantar su peso y, los pavos reales, sus largas plumas timoneras.

Evidentemente, las «carreras armamentistas» que se producen en la evolución de las especies no continúan de forma indefinida. En algún punto, la mayor vulnerabilidad debida al aumento del tamaño del cuerpo o del volumen del plumaje sobrepasa las ventajas de la mayor capacidad de apareamiento. El equilibrio entre costes y beneficios se refleja en las características de los machos que sobreviven.

El discurso biológico es interesante, coherente y, además, parece válido. Por eso, si nos fijamos en las especies monógamas, en las que los machos y las hembras se emparejan de por vida, no observamos dimorfismo sexual. Ésta es «la excepción que confirma la regla», donde «confirmar» implica poner a prueba la regla. A partir del dato de la poliginia, la teoría evolucionista infiere que los machos son más grandes y, si no se da, los machos no son más grandes. Por ejemplo, como el albatros es monógamo, la teoría infiere que los machos y las hembras tienen un tamaño parecido y, de hecho, es así.

El relato del biólogo sobre el dimorfismo sexual tiene fundamento. Podemos recordarlo sin dificultad y narrarlo a otras personas de manera satisfactoria. Cuando una persona puede contar historias como ésa y captar su coherencia, comprende mucho

Foto de David Levine

La excepción que confirma la regla: el albatros es monógamo y los machos tienen aproximadamente el mismo tamaño que las hembras.

mejor la biología que si se limita a memorizar que los pájaros pertenecen a la clase Aves. Lo mismo ocurre con las explicaciones narrativas basadas en principios económicos.

La mayoría de los cursos introductorios de economía—y los primeros que yo impartí no fueron una excepción—apenas recurren a la narración. Bombardean a los alumnos con ecuaciones y gráficas. El formalismo matemático ha desempeñado un papel importantísimo en el progreso intelectual de la economía, pero no ha demostrado ser un vehículo eficaz para iniciar a los legos en la materia. Salvo en el caso de los estudiantes que tienen una gran formación matemática previa—por ejemplo los de ingeniería—, la mayoría de los estudiantes que intentan aprender economía a base de ecuaciones y gráficas nunca llegan a imbuirse de la peculiar mentalidad conocida como «pensar como un economista». Dedican tanto esfuerzo a intentar comprender los detalles matemáticos que se les escapan las intuiciones que subyacen a las ideas económicas.

El cerebro humano es extraordinariamente flexible, un órgano capaz de asimilar información de muchos tipos. Pero, normalmente, los cerebros son más receptivos a unos tipos de información que a otros. La mayoría de los estudiantes tienen dificultad para procesar ecuaciones y gráficas. Sin embargo, dado que la facultad de narrar es inherente a la evolución de la especie humana, prácticamente todos pueden asimilar con facilidad esa misma información en forma narrativa.

Esto supuso una revelación para mí cuando, hace unos veinte años, participé en Cornell en el programa de escritura interdisciplinar, un programa inspirado por investigaciones que indican que una de las mejores maneras de aprender algo es escribir sobre ello. Según Walter Doyle y Kathy Carter, defensores de la teoría narrativa del aprendizaje: «La tesis fundamental de la perspectiva narrativa es que todos los seres humanos tienen una predisposición inherente a "historiar" su experiencia, es decir, a imponer una interpretación narrativa a la información y a la experiencia».[6] El psicólogo Jerome Bruner, otro paladín de la teoría del aprendizaje narrativo, señala que los niños «convierten las cosas en historias y, cuando intentan entender su vida, parten de una versión historiada de su experiencia para seguir reflexionando. [...] Si no confieren una estructura narrativa a lo que captan, no lo recuerdan bien y, al parecer, no pueden acceder a ello en las siguientes fases de reflexión».[7]

En resumen, parece que la especialidad del cerebro humano es asimilar información en forma narrativa. La serie de ensayos del economista naturalista intenta precisamente sacar jugo a esta facultad. En ella, pedía a los estudiantes que los trabajos tuviesen por título una pregunta. Hay tres motivos por los que me ha parecido útil insistir en que la pregunta fuese lo más interesante posible. El primero es que, para dar con una pregunta interesante, los estudiantes suelen verse obligados a considerar antes otras muchas preguntas y eso, en sí, es un buen ejercicio. En segundo lugar, cuando a los estudiantes se les ocurren preguntas interesantes, se divierten más con el trabajo y se aplican más. El tercero es que, cuando la pregunta planteada por el estudiante es interesante, es más probable que éste hable de ella con otras personas. Si un estudiante no puede sacar una idea del aula y utilizarla fuera, no llega a comprenderla. En cambio, si la utiliza por su cuenta, la hace suya para siempre.

PRINCIPIO DE COSTE-BENEFICIO

La madre de todas las ideas económicas es el principio de coste-beneficio. El principio reza así: Debemos hacer algo si y sólo si el beneficio que nos reporta supera el coste en que incurrimos al hacerlo. ¿Puede ser más simple un principio? Aun así, no siempre es fácil aplicarlo.[8]

Ejemplo 1. Suponga que está pensando en comprar un despertador de 20 dólares en la tienda del campus que está al lado de su casa y un amigo le dice que en Kmart, unos grandes almacenes que están en el centro, venden el mismo modelo por 10 dólares. ¿Va al centro para comprar el despertador por 10 dólares o lo adquiere en la tienda de al lado? En ambos casos, si el despertador se estropea durante el periodo de garantía, tiene que enviarlo al fabricante para que lo arregle.

Obviamente, no hay una única respuesta válida para todo el mundo. Cada persona tiene que calcular sus propios costes y beneficios. Sin embargo, cuando preguntamos a la gente qué haría en esa situación, la mayoría dice que compraría el despertador en Kmart.

Ahora, considere este otro caso:

Ejemplo 2. Está pensando en comprar un ordenador portátil por 2.510 dólares en la tienda del campus. El mismo ordenador cuesta 2.500 dólares en Kmart (y viene con la misma garantía: dondequiera que lo compre, tiene que enviarlo al fabricante para que lo repare si se estropea). ¿Dónde compraría el portátil?

Esta vez, la mayoría de la gente dice que lo compraría en la tienda del campus. En sí, esta respuesta no es incorrecta. Pero, si preguntamos por lo que *debería* hacer una persona racional, el principio de coste-beneficio deja claro que ambas respuestas tienen que coincidir, ya que, en ambos casos, el beneficio de ir al centro es 10 dólares, la cantidad que ahorra. El coste es el valor que se asigne a la molestia de ir al centro y, al igual que el beneficio, es el mismo en los dos casos. Si el coste es el mismo y el beneficio es el mismo en ambos casos, entonces la respuesta también debe ser la misma.

Al parecer, mucha gente tiene la impresión de que ahorrar un 50 por 100 en el despertador del centro es un beneficio mayor que ahorrar sólo 10 dólares de los 2.510 del portátil. No obstante, esa manera de verlo es un error. Pensar en términos de porcentajes funciona razonablemente bien en otras situaciones, pero no en ésta.

Por tanto, lo que hay que hacer aquí es, claramente, sopesar los costes y los beneficios. Al haber comprendido cómo se aplica el principio de coste-beneficio en un ejemplo desconcertante, tiene una historia interesante que contar. Formule estas dos preguntas a sus amigos para ver qué responden. Surgirán conversaciones que le permitirán llegar a manejar con soltura el principio de coste-beneficio.

Inmediatamente después de dar a los alumnos ejemplos de un principio general, les pongo un ejercicio para que apliquen el principio. Ésta es la pregunta que les hago después de haber explicado los ejemplos del despertador y del portátil:

Ejemplo 3. Tiene dos viajes de negocios programados y un vale de descuento que sólo puede utilizar en uno de ellos. Puede ahorrar 90 dólares en un vuelo a Chicago que cuesta 200, o bien 100 dólares en un vuelo a Tokio que cuesta 2.000. ¿En qué vuelo debería utilizar el vale?

Casi todo el mundo responde correctamente, a saber, que se debe utilizar el vale en el vuelo de Tokio porque el ahorro es de 100 dólares y eso es mejor que ahorrar 90. Sin embargo, el que todo el mundo acierte no significa que no mereció la pena hacer la pregunta. Como ya vimos, si queremos que las ideas fundamentales se integren en nuestro conocimiento activo, la única manera de conseguirlo es manejarlas y repetirlas.

Elegí las preguntas de este libro no sólo por su interés, sino porque requieren la aplicación de los principios más importantes de la economía elemental. Espero que este libro le resulte una manera fácil e, incluso, divertida de aprender tales principios. Además, como las preguntas son interesantes y las respuestas breves, constituyen un buen tema de conversación.

Siempre digo a mis estudiantes que sus respuestas a las preguntas deben verse como hipótesis inteligentes susceptibles de mejora y comprobación. No tienen que ser definitivas. Cuando Ben Bernanke y yo incluimos en un manual introductorio de economía[9] el ejemplo de Bill Tjoa sobre los teclados con puntos braille de los cajeros para automovilistas, una persona me envió airada un correo electrónico diciendo que la verdadera razón es que la Ley sobre Estadounidenses con Discapacidades exige que estos cajeros dispongan de puntos. Me envió un enlace con una página electrónica que respalda su afirmación. No pongo en duda que sea obligatorio que todos los cajeros automáticos, incluidos los que están destinados a los automovilistas, dispongan de puntos braille.[10] Incluso es posible que dichos puntos sean útiles en ocasiones excepcionales, por ejemplo cuando un ciego va en taxi a uno de esos cajeros y no quiere revelar su PIN al taxista.

Respondí a esta persona diciendo que siempre hago saber a mis alumnos que sus respuestas no tienen que ser verdaderas. Pero también le pedí que pensase en las circunstancias en que se aprobó la norma. Si hubiese sido mucho más caro fabricar los cajeros para automovilistas con puntos braille, ¿se habría promulgado la ley? Es casi seguro que no. El hecho es que incorporar estos puntos no costaba nada. Además, dado que los puntos no molestan y, en ocasiones, pueden ser útiles, quizás a los legisladores les convenía exigirlos para así decirse a sí mismos al final del año que han hecho algo útil. En este caso, la explicación de Bill Tjoa tiene más sentido que la de mi desabrido corresponsal. Sin embargo, en otros casos, es seguro que habrá respuestas mejores o más completas.

Por eso, es conveniente leer las respuestas a las preguntas con actitud crítica. Tal vez usted sepa algo que le permita mejorarlas. Por ejemplo, el dueño de una tienda de vestidos de novia me dijo que otra razón por la que las novias compran el vestido en lugar de alquilarlo es que estos vestidos se suelen llevar ceñidos por arriba. Normalmente, esto obliga a hacer importantes ajustes que no pueden efectuarse repetidas veces en un vestido de alquiler. Es una buena razón, pero no invalida la intuición económica fundamental que hay detrás de la explicación de Jennifer Dulski.

PAQUETES DE LECHE RECTANGULARES Y LATAS DE REFRESCO CILÍNDRICAS

LA ECONOMÍA DEL DISEÑO DE PRODUCTOS

¿Por qué los productos tienen una forma y no otra? No se puede dar una respuesta inteligente y exhaustiva a esta pregunta sin invocar, al menos implícitamente, el principio de coste-beneficio. Por ejemplo, la explicación que da Bill Tjoa de los puntos braille en los teclados de los cajeros para automovilistas se basa en este principio. Los fabricantes no quitaron los puntos braille porque el coste de producir dos tipos diferentes de cajeros era mayor que cualquier cálculo razonable del beneficio correspondiente.

Generalmente, los fabricantes no incurren en el coste de añadir una característica a un producto a menos que ésta aumente el valor de tal producto, es decir, el beneficio que reporta a los consumidores, por encima de dicho coste. Casi sin excepción, el diseño del producto refleja un equilibrio entre las características que más satisfacen a los consumidores y la necesidad de los vendedores de mantener los precios lo suficientemente bajos como para no perder competitividad.

Este equilibrio puede verse claramente en la evolución de las características de los automóviles. Yo compré mi primer coche en la primavera de 1961 durante el penúltimo año de bachillerato. El texto del anuncio que me llevó a comprarlo se parecía al siguiente: «Pontiac Chieftain del año 1955, dos puertas, 8 cilindros en V, radio, calefacción, cambio de palanca, 275 dólares o la mejor oferta». Hoy, por supuesto, todos los coches tienen calefacción, pero en 1955 era opcional. Muchos de los coches que se vendían en el sur de Florida, el estado donde yo vivía, no la tenían. Sin embargo, incluso en esa zona se echaba en falta la calefacción al menos unos cuantos días de invierno. Pero, en aquellos años, los salarios eran mucho más bajos y muchos compradores estaban dispuestos a renunciar a ese lujo para ahorrarse un poco de dinero. Asimismo, si un fabricante hubiese producido únicamente coches con calefacción, se habría arriesgado a que la competencia le robase los clientes fabricando coches más baratos sin ese complemento.

No obstante, a medida que subían los salarios, fue disminuyendo el número de compradores dispuestos a soportar el frío invernal para ahorrarse unos cuantos dólares. La demanda de coches sin calefacción cayó por debajo de cierto nivel y los concesionarios dejaron de pedirlos para no tenerlos indefinidamente en exposición. Podrían haberlos ofrecido más caros por encargo, pero, obviamente, nadie iba a pagar más para prescindir de la calefacción. Al final, desaparecieron los coches sin calefacción.

En 1955 era habitual que un comprador eligiese un motor de ocho cilindros en V como el de mi Pontiac, pues la mayoría de los concesionarios sólo ofrecían como alternativa el motor de seis cilindros. La ventaja del V8 era la aceleración, bastante superior a la del de seis. Su coste, además del mayor precio, era que consumía un poco más de gasolina. Pero, en aquellas fechas, la gasolina era todavía barata.

Entonces vinieron los embargos del petróleo árabe de la década de 1970. La gasolina, que a mediados de 1973 se vendía a diez céntimos de dólar el litro, subió a catorce céntimos el litro. Un segundo corte en el suministro, producido en 1979, hizo que el precio alcanzase los treinta y un céntimos en 1980. A consecuencia de estas subidas, muchos consumidores consideraron que la mayor aceleración de V8 ya no superaba la prueba de coste-beneficio, y este motor desapareció casi por completo. Aunque todavía se veían muchos motores de seis cilindros, el motor de cuatro cilindros, que apenas se montaba en los coches estadounidenses antes de 1970, no tardó en convertirse en el motor más demandado por los conductores.

No obstante, a principios de los años ochenta, el precio de la gasolina se estabilizó en términos absolutos e, incluso, comenzó a descender en relación con el precio de otros bienes. En 1999, el litro de gasolina costaba treinta y siete céntimos de dólar, una cantidad inferior en términos reales a los diez céntimos de mediados de 1973 (es decir, en 1999 se compraban con treinta y siete céntimos menos bienes y servicios que en 1973 con diez). No es de extrañar que el tamaño de los motores empezase a aumentar en los años noventa.

Como en los últimos años ha vuelto a subir el precio de la gasolina, vemos repetirse la tónica de los setenta. Incluso antes de que el litro llegase a costar setenta y nueve céntimos de dólar en 2005, Ford Motor dejó de producir su todocaminos más grande, el Excursion, de tres mil cuatrocientos kilos de peso y un consumo de veintitrés litros por cada cien kilómetros. En la actualidad, la demanda de híbridos de bajo consumo es tan grande que muchos concesionarios los venden por un precio superior al que figura en la sala de exposición.

En resumen, todos estos cambios muestran que el diseño de los productos se rige por el principio de coste-beneficio. Como sabemos, este principio dice que se debe hacer algo si y sólo si el beneficio que reporta supera el coste en que se incurre al hacerlo. Por tanto, no se debe incorporar una característica al diseño de un producto a menos que el beneficio que reporta (medido por el número de consumidores que están dispuestos a pagar más por ella) es igual o mayor que su coste (medido por el coste adicional en que incurren los fabricantes al incorporarla).

También puede verse este principio en la evolución de la caja de cambios. La transmisión manual de mi Pontiac de 1955 tenía sólo tres marchas hacia delante, que era lo normal entonces; la del coche que tengo ahora está dotada de seis. Los fabricantes de vehículos podían haber montado cajas de seis velocidades en 1955. ¿Por qué no lo hicieron?

Como en el caso anterior, los fabricantes tienen que comparar el coste de mejorar el producto con la disposición de los consumidores a pagar más por la mejora. Por un lado, dado que el coste de fabricar una transmisión aumenta con cada marcha hacia delante que se incorpora, el precio del coche debe ser más alto cuantas más marchas hacia delante tenga. ¿Estarán dispuestos los consumidores a pagar este mayor precio? Por otro lado, añadir marchas hacia delante aumenta la aceleración y la eficiencia en el consumo de gasolina. Por tanto, la respuesta depende de cuánto estén dispuestos a pagar los consumidores por estas ventajas.

Si un coche no tiene como mínimo dos e, incluso, tres marchas hacia delante, no es práctico. (Si sólo tuviese una, ¿cuál escogeríamos? ¿La primera velocidad? ¿La segunda?) Por tanto, en la gama de diseños de este producto, mi Pontiac de 1955 con una transmisión de tres velocidades se encontraba en el extremo inferior. Dado que nuestra renta es mayor ahora que en 1955, estamos dispuestos a pagar el sobreprecio de la mayor aceleración. Asimismo, las marchas hacia delante adicionales se demandan más porque, en la actualidad, la gasolina es más cara de lo que era antes. Todos estos cambios explican que hayan desaparecido las transmisiones de tres marchas hacia delante.

Como pondrán de manifiesto los ejemplos de este capítulo, el principio de coste-beneficio que rige la evolución del diseño de los automóviles es aplicable a casi todos los productos y servicios. Los tres primeros permiten ver claramente por qué es poco probable que se incorpore una característica a un producto si no va a ser utilizada con suficiente frecuencia.

¿Por qué se enciende una luz cuando abrimos el frigorífico, pero no cuando abrimos el congelador? (Karim Abdallah)

Cuando el economista naturalista busca una respuesta a esta pregunta, su primera reacción es examinar los costes y beneficios correspondientes. En los dos compartimentos de este electrodoméstico, el coste de instalar una luz que se enciende automáticamente al abrir la puerta es más o menos igual. Asimismo, dicho coste es lo que los economistas llaman un «coste fijo», que en este contexto significa que no depende del número de veces que se abra la puerta. Desde el punto de vista del beneficio, disponer de una luz dentro de cada compartimento hace que sea más fácil encontrar las cosas. Dado que la mayoría de las personas abren mucho más a menudo el compartimento de refrigeración que el de congelación, el beneficio de tener luz en el primero es considerablemente mayor. Por tanto, dado que el coste de incorporar una luz es el mismo en ambos casos, el compartimento de refrigeración tiene muchas más probabilidades que el congelador de superar la prueba de coste-beneficio que determina si merece la pena incorporar esta característica.

Es indudable que no todos los consumidores valoran igual la comodidad de tener una luz en el congelador. En general, el beneficio de una de esas características en relación con el tipo de personas que están dispuestas a pagar por ella tiende a aumentar proporcionalmente a la renta. Por tanto, según el principio de coste-beneficio, a los consumidores con rentas muy elevadas les debería compensar pagar el sobreprecio de la luz a cambio de la comodidad que les proporciona. Y así es, pues el frigorífico Sub-Zero Pro 48 no sólo tiene luz en el congelador, sino en la bandeja de hielo independiente. ¿Cuánto cuesta este aparato? Nada menos que 14.450 dólares. Como vemos, el Sub-Zero Pro 48 es otra excepción que confirma la regla.

¿Por qué los ordenadores portátiles funcionan con la red eléctrica de cualquier país y, en general, los demás aparatos no?
(Minsoo Bae)

Aunque las redes eléctricas de Estados Unidos suministran a los hogares una tensión de 110 voltios, en muchos otros países la norma es 220 voltios. El circuito eléctrico de los ordenadores portátiles está dotado de un transformador interno que permite a este aparato funcionar con ambas normas. En cambio, los televisores y los frigoríficos sólo funcionan con la norma para la que fueron fabricados. Para usar una nevera estadounidense en Francia, hay que comprar un transformador externo que convierta los 220 voltios de la red francesa en 110 voltios. Del mismo modo, para utilizar un televisor coreano en Estados Unidos, hay que comprar un transformador externo que convierta los 110 voltios de la red estadounidense en 220 voltios. ¿Por qué no son todos los aparatos eléctricos tan versátiles como los ordenadores portátiles?

Suministrar electricidad a 220 voltios en lugar de 110 es algo más barato, pero ligeramente más peligroso. En muchos países se discutió largamente acerca del sistema que iban a adoptar y, una vez tomada la decisión, los países invirtieron enormes sumas de capital en dicho sistema. Por tanto, no es de esperar que los países unifiquen sus normas de tensión en un futuro próximo. Eso hace que quienes viajan de país en país con aparatos necesiten algún dispositivo que les permita utilizarlos con normas de voltaje diferentes.

Incorporar un transformador a un aparato permite satisfacer esta demanda, pero el coste de fabricación aumenta. Dado que la abrumadora mayoría de neveras, lavadoras, televisores y demás aparatos que se venden en un país cualquiera nunca salen de él, no tiene sentido incurrir en el coste adicional de añadir transformadores internos.

Los ordenadores portátiles, especialmente cuando salieron al mercado, son una excepción. Los primeros usuarios eran principalmente personas que llevaban su portátil en los viajes de negocios nacionales e internacionales. Estas personas no estaban dispuestas a cargar con un voluminoso transformador en los vuelos internacionales. Por eso, desde el principio los fabricantes incorporaron transformadores a los ordenadores portátiles.

¿Por qué las tiendas que abren las veinticuatro horas del día tienen cerraduras en las puertas? (Leanna Beck, Ebony Johnson)

Muchas tiendas de abastecimiento abren las veinticuatro horas del día, trescientos sesenta y cinco días al año. Puesto que nunca cierran sus puertas, ¿por qué se molestan en poner puertas con cerradura?

Por supuesto, siempre es posible que una emergencia obligue a estas tiendas a cerrar, aunque sólo sea durante un corto espacio de tiempo. A consecuencia del huracán Katrina, por ejemplo, los habitantes de Nueva Orleans tuvieron que huir de la ciudad de forma precipitada. Huelga decir que una tienda abierta sin empleados es presa segura de saqueadores.

Pero, incluso aunque pudiésemos descartar completamente la posibilidad de que cierre, es improbable que a una tienda le convenga comprar puertas sin cerraduras.

La gran mayoría de puertas industriales se venden a establecimientos que no abren las veinticuatro horas del día. Por motivos obvios, estos establecimientos quieren puertas con cerradura. En consecuencia, dado que la mayoría de las puertas industriales llevan cerradura, probablemente es más barato fabricar de la misma manera todas las puertas de cada modelo, del mismo modo que es más barato poner puntos braille en los teclados de todos los cajeros automáticos, incluidos aquellos que van a ser utilizados por automovilistas.

A veces, como veremos en los dos ejemplos siguientes, los detalles del diseño de un producto parecen regirse en parte por las leyes de la geometría.

¿Por qué se envasa la leche en recipientes rectangulares, mientras que los refrescos se envasan en recipientes redondos?

Prácticamente todos los recipientes de refrescos, ya sean de aluminio o de cristal, son cilíndricos. Los paquetes de leche casi siempre tienen una sección rectangular. Dado que los recipientes rectangulares ocupan menos espacio que los cilíndricos, su coste de almacenamiento es menor. Entonces, ¿por qué los fabricantes de refrescos siguen empleando recipientes cilíndricos?

Una posibilidad es que, como los refrescos suelen consumirse directamente del recipiente, el coste adicional de almacenar recipientes cilíndricos está justificado porque se adaptan mejor a la mano y es más cómodo cogerlos. Eso no importa tanto en el caso de la leche, que no es habitual beber directamente del recipiente.

Pero, incluso aunque la gente tuviese la costumbre de beber la leche directamente del cartón, según el principio de coste-beneficio sería improbable que la leche se vendiese en recipientes cilíndricos. A pesar de que los recipientes rectan-

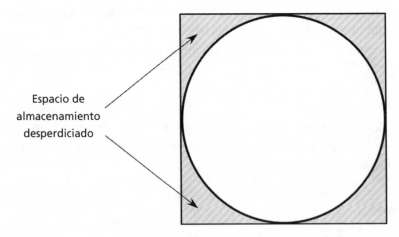

Espacio de almacenamiento desperdiciado

Si los recipientes de leche fuesen cilíndricos, necesitaríamos refrigeradores más grandes.

40

gulares, cualquiera que sea su contenido, ahorran espacio de almacenamiento, el espacio que ahorran es más valioso en el caso de la leche que en el de los refrescos. Los supermercados almacenan casi todos los refrescos en estanterías abiertas, que es más barato adquirir y no tienen costes de funcionamiento. La leche se almacena exclusivamente en cámaras frigoríficas, que tienen un precio de compra más elevado y costes de funcionamiento considerables. Por tanto, en estas cámaras, el espacio de almacenamiento es caro, de ahí el beneficio adicional de envasar la leche en recipientes rectangulares.

¿Por qué se gasta más de lo necesario en producir latas de refresco de aluminio? (Charles Redding)

La función de una lata de refresco es contener la bebida. Los recipientes de aluminio de treinta y tres centilitros que se venden en casi todo el mundo son cilindros casi el doble de altos (12 cm) que de anchos (6,5 cm). Fabricar latas más cortas y anchas supondría un importante ahorro de aluminio.[1] Por ejemplo, una lata cilíndrica de 7,8 cm de alto y 7,6 cm de diámetro necesita aproximadamente un 30 por 100 menos de metal que una lata convencional y, sin embargo, tiene la misma capacidad. Teniendo en cuenta que sería más barato producir latas más cortas, ¿por qué se siguen vendiendo refrescos en latas alargadas?

Una respuesta posible es que los consumidores se dejan engañar por la ilusión horizontal-vertical, una ilusión óptica que los psicólogos conocen perfectamente. Cuando se pregunta a la gente cuál de las dos barras de la figura de la página 43 es más larga, la mayoría responde sin dudar que la vertical es la más larga. Sin embargo, es fácil comprobar que las dos tienen la misma longitud.

Es posible, entonces, que los consumidores se resistiesen a comprar bebidas refrescantes envasadas en latas más cortas

Dibujo de Mick Stevens

Las latas de refresco convencionales necesitarían menos aluminio si fuesen más anchas y cortas.

creyendo que contienen menos líquido. No obstante, esta explicación implica que los competidores están dejando pasar una buena oportunidad de beneficio: si lo único que impide a los consumidores comprar latas más cortas es una ilusión óptica, los competidores podrían sacar a la venta refrescos envasados en ese tipo de latas indicando que sus envases contienen exactamente la misma cantidad de líquido que los envases habituales. Así pues, como es más barato fabricar latas más cortas, los competidores que las utilizasen podrían ofrecer refrescos a precios ligeramente más bajos y seguir cubriendo todos sus costes. Por eso, si el único problema fuese una ilusión óptica, los fabricantes de la competencia tendrían en bandeja una buena oportunidad de negocio.

Otra posibilidad es que los consumidores de refrescos prefieran la lata alargada porque les resulta más atractiva. Aunque supiesen que contiene exactamente la misma cantidad de bebida que la corta, quizás estén dispuestos a pagar por ella un poco más, igual que están dispuestos a pagar un poco más por una habitación de hotel con buenas vistas.

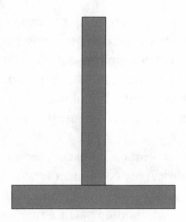

La ilusión horizontal-vertical: aunque la barra vertical parezca más larga, no lo es.

En ocasiones, las características del diseño de un producto son el resultado de sutiles consideraciones sobre cómo éstas pueden afectar al comportamiento del consumidor. Por ejemplo, un conductor que no quiere que lo multen por exceso de velocidad podría estar dispuesto a pagar más por un coche dotado de un sistema de alarma que lo avise cuando supere el límite que figura en las señales de tráfico. A continuación, veremos dos productos en los que se traslucen decisiones estratégicas de los fabricantes sobre cómo influyen determinadas características del diseño en la manera de utilizarlo.

¿Por qué las máquinas expendedoras de periódicos permiten que el cliente coja más unidades de las que ha pagado y las de refrescos no? (Brendan Quigley)

Si introducimos cuatro monedas de veinticinco centavos en una máquina de refrescos y apretamos el botón de Coca-Cola, en la bandeja inferior cae una lata fría de treinta y tres centilitros. Si queremos otra lata, tenemos que meter otras cuatro monedas. En cambio, si introducimos cuatro monedas de

43

veinticinco centavos en una máquina expendedora de periódicos, se abre la tapa frontal y podemos coger sin dificultad toda la pila de la edición de hoy del *New York Times*. Por supuesto, sólo tenemos derecho a coger uno, y casi todos los clientes respetan ese límite. No obstante, ¿por qué se fabrican máquinas de periódicos con dispositivos de seguridad tan rudimentarios?

Obviamente, la ventaja de estas máquinas es que cuesta mucho menos fabricarlas. No es necesario un complicado mecanismo que haga salir por una abertura sólo un ejemplar. Las monedas accionan una simple palanca que suelta el pestillo de la tapa frontal, el cual vuelve a su posición cuando se cierra la tapa. También las máquinas de refrescos serían más baratas si se fabricasen así. Por tanto, la razón de la diferencia en el diseño debe estar del lado del beneficio.

La diferencia fundamental entre ambos productos es que a un cliente poco honrado le beneficiaría coger más refrescos de los que ha pagado, pero tendría pocos motivos para llevarse más de un periódico. No le aporta nada tener diez periódicos en lugar de uno.

¿Por qué el tapón del combustible está en el lado del conductor en unos coches y, en otros, en el del copiloto? (Patty Yu)?

Cuando conducimos un coche de alquiler, una de las experiencias más frustrantes es parar delante de un surtidor como lo haríamos si fuésemos en nuestro propio coche y descubrir que el depósito de combustible se encuentra en el lado del coche que está más alejado del surtidor. Los fabricantes de coches podrían evitarnos fácilmente esta molestia poniendo siempre la tapa del combustible en el mismo lado del coche. ¿Por qué no lo hacen?

En Estados Unidos y demás países donde se conduce por el lado derecho de la carretera, es más fácil torcer a la derecha que torcer a la izquierda cuando vienen vehículos de frente. Eso hace que la mayoría de los conductores entren en las gasolineras torciendo a la derecha. Supongamos que el depósito de gasolina estuviese siempre del lado del conductor. Entonces, habría que detener el vehículo a la derecha del surtidor para llenar el depósito. En horas punta, todos los sitios que se encuentran a la derecha de los surtidores se ocuparían y casi todos los de la izquierda permanecerían vacíos.

Como no todos los tapones del combustible se encuentran en el mismo lado, algunos coches se colocan a la izquierda de los surtidores. Gracias a eso, es más improbable que los conductores tengan que hacer cola para repostar. Ese beneficio compensa con creces el coste de equivocarse a veces de lado cuando se conduce un coche de alquiler.

Dibujo de Mick Stevens

Las colas de las gasolineras serían más largas si todos los tapones del combustible estuvieran del lado del conductor.

En algunos casos, el diseño del producto no sólo depende de cómo es probable que vaya a utilizarse, sino también del hecho de que el producto pretende transmitir información al cliente. Como veremos en los dos ejemplos siguientes, la información se asimila más fácilmente y se produce a menor coste en unos formatos que en otros.

¿Por qué casi todos los taxis de Manhattan son berlinas amarillas, mientras que los de Ithaca suelen ser furgonetas de diferentes colores? (Andrei Tchernoivanov)

Mire hacia abajo desde la azotea del edificio Empire Estate de Manhattan y verá que alrededor de un 70 por 100 de los vehículos de la calle 34 son berlinas de color amarillo vivo. De vez en cuando se ve un Lotus o un Lamborghini de este color, pero prácticamente todos los vehículos amarillos son taxis, normalmente berlinas Ford Crown Victoria. En Ithaca, una pequeña ciudad universitaria del norte del estado de Nueva York, ningún taxi es amarillo y casi todos son furgonetas pequeñas. ¿A qué se debe esta diferencia?

Aunque en Manhattan se puede pedir un taxi por teléfono, es mucho más habitual llamarlo desde la calle haciendo señas. Por eso, a los taxis les conviene ser muy visibles. Según las investigaciones, el amarillo vivo es el color más llamativo.[2] (Antes se pensaba que era el rojo y, por eso, los camiones de bomberos solían pintarse de ese color. Pero, ahora, muchos servicios de bomberos están comenzando a pintar sus vehículos de amarillo).

En Manhattan, los taxis llevan normalmente un solo pasajero y rara vez pierden clientes por no poder admitir a más de cuatro. Por tanto, es más probable que prefieran berlinas, ya que son más baratas que las furgonetas y se adaptan a las necesidades de la mayoría de los clientes.

La demanda de taxis tiene características diferentes en

Ithaca. Allí, ser dueño de un coche es mucho más barato que en Manhattan, donde sólo una plaza de aparcamiento puede costar quinientos dólares al mes. Por eso, casi todos los habitantes de Ithaca tienen coche. Como apenas cogen taxis, a los taxistas les resulta mucho más rentable esperar a que los llamen por teléfono que recorrer las calles buscando clientela. Eso explica que los taxistas de Ithaca no le encuentren muchas ventajas a pintar sus vehículos de amarillo.

Alguien podría objetar que los taxis de Nueva York son amarillos porque las leyes de la ciudad estipulan que todos los taxis que circulan por las calles han de tener ese color. Es cierto, pero se trata de la misma objeción del airado lector que me escribió precisando que los teclados de los cajeros automáticos para automovilistas tienen puntos braille porque lo exige la ley. Debido a los escándalos que se produjeron en el sector, el legislador impuso la norma del color amarillo con el fin de que los pasajeros pudieran identificar fácilmente los vehículos provistos de licencia legal. Eligieron el amarillo porque, en aquel entonces, la mayoría de los taxis eran de ese color. La hipótesis de que los taxis son amarillos debido a la gran visibilidad de este color proporciona una explicación admisible de por qué la mayoría de los taxis eran amarillos antes de que se aprobara la norma correspondiente.

Los taxistas de Ithaca prefieren las furgonetas a las berlinas porque allí es habitual que los pasajeros viajen en grupos. En esta ciudad, los estudiantes y demás clientes que no disponen de coche propio suelen tener rentas bajas y, por eso, quieren ahorrar dinero compartiendo taxis. Por ejemplo, mientras que los taxis que van del aeropuerto de LaGuardia a la ciudad de Nueva York suelen llevar un solo pasajero, los taxis que salen del aeropuerto de Ithaca suelen llevar grupos de seis o más personas.

¿Por qué los retratos de las monedas están de perfil mientras que los de los billetes están de frente? (Andrew Lack)

Mire las monedas que tiene en el bolsillo y se dará cuenta de que las caras de los antiguos presidentes que figuran en las monedas de un centavo (Lincoln), cinco centavos (Jefferson), diez centavos (Roosevelt), veinticinco centavos (Washington) y medio dólar (Kennedy) están todas de perfil. En los billetes, los retratos artísticos de los presidentes Washington (un dólar), Lincoln (cinco dólares), Hamilton (diez dólares), Jackson (veinte dólares), Grant (cincuenta dólares) y Franklin (cien dólares) están pintados de frente. Salvo raras excepciones, en los demás países ocurre lo mismo: perfiles en las monedas y retratos de frente en los billetes. ¿A qué se debe esta diferencia?

Lo primero que viene a la mente es que, si bien los artistas prefieren pintar retratos de todo el rostro, técnicamente resulta muy difícil grabar en monedas de metal retratos de frente reconocibles. Normalmente, los retratos de las monedas tienen un relieve inferior a cuatro milímetros, con el que es muy difícil conseguir el nivel de detalle que suele requerir un retrato frontal fácilmente reconocible. En cambio, cuando se representa un rostro de perfil, la silueta suele bastar para reconocer a la persona sin dificultad. Ciertamente, sería posible grabar en las monedas los detalles necesarios para reconocer retratos de frente, pero el coste sería considerable. Y, con el uso, muchos de los detalles menores se irían borrando rápidamente.

Si es más fácil fabricar y reconocer perfiles, ¿por qué no utilizarlos también en los billetes? En el caso del papel, la mayor complejidad de los retratos de frente puede servir para frustrar los intentos de falsificación.

Los dos últimos ejemplos de este capítulo muestran que, en ocasiones, no es posible comprender las características del diseño de los productos a menos que consideremos circunstancias históricas específicas.

¿Por qué los estuches de DVD son mucho más grandes que los de CD, a pesar de que los dos tipos de disco tienen el mismo tamaño? (Laura Enos)

Los CD se venden en estuches que tienen 142 milímetros de ancho y 125 milímetros de alto. En cambio, los DVD se venden en estuches que tienen 135 milímetros de ancho y 191 milímetros de alto. ¿Por qué se usan estuches de dimensiones diferentes para discos del mismo tamaño?

Basta escarbar un poco para descubrir los orígenes históricos de esta diferencia. Antes de que apareciesen los discos compactos digitales, casi toda la música se vendía en discos de vinilo, que llevaban estuches cuadrados muy ajustados de 312 milímetros de lado. Es decir, los estantes en que se exponían los discos de vinilo eran lo suficientemente anchos como para que cupiesen en ellos dos filas de estuches de CD con un separador en medio. Los estuches de CD con un ancho algo inferior a la mitad del que tenían las fundas de los discos de vinilo ahorraban a los minoristas los importantes costes que hubiese supuesto cambiar los estantes de almacenamiento y exposición.

Probablemente, la elección del estuche de DVD obedece a motivos similares. Antes de que se extendiesen los DVD, la mayoría de los videoclubes vendían videocasetes con formato VHS, que venían en estuches ajustados de 123 milímetros de ancho y 200 de alto. Estos videocasetes solían colocarse de canto unos junto a otros. Mientras los consumidores iban cambiando al nuevo formato, las tiendas podían exponer las nuevas partidas de DVD, casi igual de altos, en los mismos estantes. Asimismo, el hecho de que los estuches de videocasetes y DVD tuviesen más o menos la misma altura favorecía el que los consumidores se pasaran al DVD, pues podían guardar los que iban comprando en la misma estantería que utilizaban para las cintas de vídeo.

¿Por qué la ropa de mujer se abrocha siempre por la izquierda y la de hombre por la derecha? (Gordon Wilde, Katie Willers y otros)

A nadie sorprende que los fabricantes de ropa se atengan a normas universales que fijen las diferentes características de las prendas que compra un determinado grupo de consumidores. Sin embargo, lo que sí parece extraño es que la norma que se ha impuesto para las mujeres sea justo la contraria de la de los hombres. Si diese igual por qué lado se abrochan los botones, no sería tan extraño. Pero sucede que la norma de los hombres no sólo les conviene a ellos, sino también a las mujeres. Alrededor de un 90 por 100 de la población mundial, masculina y femenina, es diestra, y a los diestros les resulta algo más fácil abrocharse las camisas por la derecha. Entonces, ¿por qué las prendas de mujer se abrochan por la izquierda?

Éste es un caso en el que la historia *realmente* importa. Cuando aparecieron los botones en el siglo XVII, sólo se veían en las prendas de la gente pudiente. Lo habitual era entonces que los hombres se vistiesen solos y las mujeres se dejasen vestir por sus doncellas. El hecho de que las blusas tuvieran los botones en el lado izquierdo facilitaba el trabajo a las sirvientas, que generalmente eran diestras. En cambio, era lógico que los botones de las camisas estuviesen en el lado derecho no sólo porque la mayoría de los hombres se vestían solos, sino también porque la espada se sacaba con la mano derecha de la funda que colgaba de la cadera izquierda y, de ese modo, había menos riesgo de que la empuñadura se enganchase en la camisa.

Hoy en día, casi ninguna mujer se ayuda de una doncella para vestirse. ¿Por qué, entonces, los botones de casi todas las

Dibujo de Mick Stevens

En el momento de vestirse, la historia cuenta.

prendas femeninas siguen estando a la izquierda? La respuesta es que una norma, una vez que se adopta, es difícil de cambiar. Cuando las mujeres dejaron de tener doncellas, todas las blusas se abrochaban por la izquierda y era muy arriesgado sacar al mercado blusas que se abrochan por la derecha. Las mujeres se habituaron a abrocharse las blusas por la izquierda y, para cambiar, habrían tenido que aprender algo nuevo y acostumbrarse a ello. Aparte de esta dificultad de orden práctico, a algunas mujeres les habría resultado embarazoso presentarse en sociedad con blusas que se abotonan por la derecha, pues alguien podría haberse dado cuenta e interpretar que llevaban camisas de hombre.

2

CACAHUETES GRATIS Y PILAS CARAS

OFERTA Y DEMANDA EN ACCIÓN

Dos economistas van a comer y ven en la acera algo que se parece a un billete de cien dólares. Cuando el más joven de ellos se agacha para cogerlo, su colega lo frena diciéndole:

—Eso no puede ser un billete de cien dólares.

—¿Por qué no?—preguntó el economista joven.

—Si lo fuese—respondió el otro—, alguien lo habría cogido ya.

Sin duda, es posible que el economista más viejo se equivocase. No obstante, su advertencia encarna una verdad importante que a menudo se olvida. El principio de que «el dinero no se sirve en bandeja» sostiene que el dinero fácil rara vez continúa estando a disposición de cualquiera. En el futuro, igual que en el pasado, la única manera de enriquecerse será conjugando de algún modo habilidad, ahorro, esfuerzo y suerte.

A pesar de ello, parece que decenas de millones de estadounidenses creen que pueden hacerse ricos de la noche a la mañana. Vieron a los que ganaron fortunas en los años noventa simplemente deshaciéndose de acciones tradicionales como General Electric o Procter & Gamble e invirtiendo en Oracle, Cisco Systems y otros valores tecnológicos que hicieron que se disparase el índice Nasdaq. En fechas más recientes, vieron cómo algunos se enriquecían rápidamente endeudándose todo lo que pudieron para comprar bienes inmuebles que, desde un punto de vista tradicional, estaban muy por encima de sus posibilidades.

Quienes creen que el dinero se sirve en bandeja no dudan en dar explicaciones de por qué no son aplicables las limitaciones habituales. Ejemplos de ello son muchos analistas financieros de los años noventa, quienes, en su optimismo, no dejaron de repetir que los procedimientos de valoración tradicionales ya no eran válidos porque Internet estaba cambiando las reglas del juego. Además, con el ahorro de más de un 30 por 100 en los costes operativos de algunas empresas que realizaban entre sí comercio electrónico, apenas se podía dudar de que las nuevas tecnologías estaban generando un aumento espectacular en la productividad.

Sin embargo, hoy todo el mundo sabe, y debería haberlo sabido entonces, que el valor de una empresa de comercio electrónico, a la larga, no depende del aumento de productividad sino del beneficio que obtiene. Las nuevas tecnologías seguirán generando puntualmente beneficios desorbitados en aquellas empresas que las adopten antes que las demás. No obstante, igual que en el pasado, cuando la competencia adopta esas mismas tecnologías, el ahorro a largo plazo no lo retienen los fabricantes en forma de beneficios mayores, sino que se traslada a los consumidores en forma de precios más bajos. Eso es lo que les ocurrió a los ganaderos que se apresuraron a utilizar la somatotropina bovina,[1] la hormona que aumenta la producción de leche en el ganado hasta en un 20 por 100, los cuales obtuvieron pingües beneficios en poco tiempo. Sin embargo, a medida que se extendió el uso de esta hormona, el aumento de la producción provocó una bajada constante del precio de la leche que fue mermando los márgenes de beneficio.

Los beneficios de la mayoría de los proveedores de nuevas tecnologías que cotizan en el Nasdaq evolucionaron de forma similar. Puede que quienes organizaron el comercio electrónico entre empresas hayan ahorrado a los fabricantes cientos de miles de millones de dólares. No obstante, dado que las empresas de nuevas tecnologías no están menos expuestas a la competencia que los productores de leche, casi todo ese ahorro redundó en una bajada del precio de los productos y no en mayores beneficios.

El principio de que el dinero no se sirve en bandeja nos recuerda que debemos desconfiar de las oportunidades que parecen demasiado buenas para ser reales. Dicho principio predijo la espectacular caída del Nasdaq que tuvo lugar en marzo del 2000. Asimismo, junto con el principio de coste-beneficio, nos ayuda a comprender algunos fenómenos no tan llamativos que se producen en el resto de los mercados. Analicemos, por ejemplo, el precio al que se venden los productos.

Dado que los gustos y el nivel de renta de las personas son diferentes, lo que están dispuestas a pagar suele variar mucho. Sin embargo, Adam Smith sostuvo en *La riqueza de las naciones* que el precio de un producto, a la larga, no debe superar su coste de producción, pues, de lo contrario, las oportunidades de beneficio inducirán a los competidores a entrar en el mercado. Éstos seguiran entrando hasta que el aumento de la oferta baje los precios al nivel del coste.

Pero no faltan ejemplos de compradores que pagan precios muy dispares por bienes y servicios que, en esencia, son idénticos. Estos ejemplos parecen contradecir el principio de que el dinero no se sirve en bandeja. ¿Por qué la competencia de los vendedores rivales no nivela todos los precios? Muchos de los ejemplos del capítulo 4 se refieren directamente a esta pregunta. Por el momento, baste decir que en muchos mercados sí se cumple que la competencia iguala los precios.

Por ejemplo, el oro se vende prácticamente al mismo precio en Nueva York y en Londres, a ejecutivos de empresas y a maestros de escuela. Si no fuera así, se estaría sirviendo el dinero en bandeja. Supongamos, por ejemplo, que una onza de oro costase ochocientos dólares en Nueva York y novecientos dólares en Londres. Alguien podría comprar una onza de oro en Nueva York e, inmediatamente, embolsarse un beneficio de cien dólares revendiéndola en Londres. La ley del precio único—la cual, en realidad, no es más que una reformulación del principio de que el dinero no se sirve en bandeja—dice que, en general, la diferencia entre los precios del oro de las dos ciudades no puede ser mayor que el coste de transportarlo de una a otra.

La ley del precio único es especialmente aplicable a bienes y servicios que se venden en mercados donde existe competencia perfecta. Se trata, para simplificar, de mercados en los que un elevado número de vendedores ofrecen productos muy tipificados. El mercado del oro es un ejemplo canónico. El oro es un bien muy normalizado y cualquier empresa puede entrar fácilmente en el mercado en el momento y lugar en que surjan oportunidades de negocio.

La posibilidad de arbitraje—comprar a un precio determinado para vender a un precio más caro sin correr ningún riesgo—es precisamente lo que hace que se cumpla la ley del precio único. Es posible que un rico, aunque sólo sea por su mayor poder adquisitivo, esté dispuesto a pagar más dinero que un pobre por un kilo de sal de mesa corriente. Sin embargo, el precio de la sal es el mismo para los dos. La ley del precio único dice que un vendedor que intente explotar esta disposición del rico a pagar más está creando *ipso facto* oportunidades de negocio para la competencia. Incluso aunque los vendedores se pusiesen en connivencia para mantener los precios altos y aprovecharse de los compradores pudientes, los arbitrajistas pobres siempre podrían desbaratar sus planes. Podrían comprar sal al precio del pobre y obtener un beneficio revendiéndosela a los ricos a un precio ligeramente inferior al precio del rico. Cada vez más pobres querrían un trozo de este pastel y la diferencia se reduciría progresivamente hasta desaparecer.

El modelo económico de la oferta y la demanda es, en esencia, una narración de las fuerzas que determinan qué productos se producen, cuánto se produce de cada uno de ellos y a qué precio.[2] La demanda de un producto cualquiera es una medida de cuánto están dispuestos a pagar por él los compradores. Dicho de otro modo, es una medida simplificada de los beneficios o satisfacciones que piensan que les reporta consumirlo. Los consumidores seguirán comprando más cantidad de un producto mientras el valor que atribuyen a la última unidad consumida sea como mínimo igual a su precio. Por regla general, a medida que aumenta el precio de los productos, cae la cantidad demandada.

La oferta de un producto es una medida simplificada de las condiciones en que los fabricantes están dispuestos a sacarlo a la venta. La regla fundamental de la oferta es que los productores seguirán ofreciendo un producto mientras el precio por el que pueden venderlo sea como mímimo igual a su coste marginal, es decir, el coste de producir la última unidad que ofrecen. A corto plazo, el coste marginal tiende a aumentar con el número de unidades producidas. (En parte, esto es una consecuencia del principio de «la fruta que está al alcance de la mano», según el cual siempre es mejor aprovechar primero las mejores oportunidades que se presentan.) Por tanto, en el caso de la oferta, la regla general es que los vendedores están dispuestos a vender más unidades a medida que aumenta el precio de un producto.

Se dice que el mercado de un producto cualquiera está en equilibrio cuando la cantidad de consumidores que desean comprar al precio vigente es igual al número de productores que quieren vender. El precio de equilibrio también se llama *precio de compensación de un mercado*.

El modelo de la oferta y la demanda tiene una enorme capacidad para extraer regularidades del galimatías informativo con que el mercado nos bombardea a diario.

Dado que el precio vigente en un mercado es resultado de un equilibrio entre la oferta y la demanda, no es riguroso explicar variaciones de precios o cantidades refiriéndose sólo a la oferta o sólo a la demanda. No obstante, muchos fenómenos importantes que tienen lugar en los mercados pueden comprenderse analizando sólo uno de los dos aspectos. La primera serie de ejemplos describe fenómenos que tienen su origen principalmente en el lado de la demanda (o del comprador) de la transacción.

¿Por qué muchos bares cobran el agua a sus clientes, pero les regalan los cacahuetes?

Algunos bares cobran a sus clientes hasta cuatro dólares por una botella de agua de medio litro y, sin embargo, tienen siempre a disposición de los clientes cuencos llenos de frutos secos salados. Dado que es más caro producir frutos secos que agua, ¿no debería ser al revés?

Para comprender esta práctica, lo fundamental es reconocer que las condiciones en que los bares ofrecen agua y frutos secos están determinadas por el efecto de estos productos en la demanda del producto principal de los bares, a saber, las bebidas alcohólicas. Los frutos secos y las bebidas alcohólicas se complementan. Cuantos más frutos secos se comen, más cervezas o combinados se piden. Puesto que los frutos secos son relativamente baratos y cada bebida alcohólica tiene un margen de beneficio relativamente alto, no cobrar por los frutos secos suele contribuir a aumentar los beneficios de los bares.

En cambio, el agua y las bebidas alcohólicas son productos sustitutivos. Cuanta más agua beban los clientes, menos bebidas alcohólicas pedirán. Por eso, aunque el agua es relativamente barata, los bares tienen buenas razones para cobrar un precio alto por ella y así desincentivar su consumo.

¿Por qué muchos fabricantes de ordenadores regalan programas cuyo valor en el mercado supera el precio del aparato?

Hoy en día, cuando compramos un ordenador, nos encontramos con que el disco duro contiene no sólo un sistema operativo, sino también un procesador de textos, una hoja de cálculo, un antivirus, programas de presentaciones, correo electrónico, música y fotos, todos ellos actualizados. ¿Por qué regalar todos estos valiosos programas?

A los usuarios de programas de ordenador les importa mucho la compatibilidad. Por ejemplo, cuando varios científicos o historiadores colaboran en un proyecto, utilizar el mismo procesador de textos les facilita mucho el trabajo. Igualmente, cuando una ejecutiva tiene que hacer la declaración de impuestos, le resulta mucho más fácil si su programa de gestión coincide con el de su contable.

Otro aspecto importante es que muchos programas, por ejemplo Microsoft Word, son difíciles de dominar. A menudo, quienes llegan a manejar perfectamente un programa se resisten a aprender otro, incluso aunque les conste que éste es mejor.

Esto implica que las ventajas de tener y usar un programa cualquiera aumentan en proporción al número de personas que lo utilizan. Esta insólita relación favorece enormemente a quienes producen los programas más extendidos y dificulta la entrada en el mercado de nuevos programas.

Consciente de esto, la empresa Intuit regaló copias de Quicken, su programa de gestión financiera personal, a los fabricantes de ordenadores. Éstos no tuvieron ningún problema en incorporarlo a su producto, que así tenía un aliciente más para los compradores. Quicken no tardó en convertirse en el modelo de los programas de gestión financiera personal. Mediante las copias gratuitas de su programa, Intuit «hizo una puesta a punto» para crear una gigantesca demanda de productos complementarios como, por ejemplo, versiones actualizadas de Quicken y de otros programas relacionados. Así fue como TurboTax y Macintax, los programas de Intuit para la declaración de la renta de las personas físicas, se convirtieron en los modelos de los demás programas que cumplen la misma función.

Tratando de emular este ascenso estelar, otros fabricantes de programas de ordenador se han subido al tren. Se rumorea que algunos llegan a *pagar* a los fabricantes de ordenadores para que incluyan en ellos sus programas.

¿Por qué un teléfono móvil cuesta sólo 39,99 dólares, mientras que una batería de recambio para ese mismo aparato cuesta 59,99 dólares? (Tianxin Gu)

En algunos mercados, si firmamos un contrato de dos años con la empresa Verizon, ésta nos cobra sólo 39,99 dólares por un teléfono móvil Motorola V120e. Sin embargo, si compramos una batería de recambio para ese mismo modelo—por ejemplo, porque prevemos que vamos a estar mucho tiempo sin poder cargarlo—, pagamos 59,99 dólares. ¿Por qué hay que pagar mucho más por una batería de recambio exactamente igual a la que viene con el teléfono móvil que lo que se paga por el aparato completo?

Es muy caro producir las baterías recargables de iones de litio que utilizan los teléfonos móviles. Por eso, quizá la pregunta interesante es por qué el aparato completo, incluida la batería, cuesta tan barato. La respuesta parece tener que ver con la peculiar estructura de costes de los proveedores de telefonía inalámbrica. La mayoría de los costes de estas empresas son fijos porque proceden de la instalación de sus redes: construcción de torres de telefonía móvil, compra de licencias, etc.

Supongamos que el importe de la factura mensual de un contrato de telefonía móvil representativo fuese 50 dólares. Si una empresa consigue un nuevo cliente, obtendrá unos ingresos adicionales de 600 dólares al año sin incurrir en costes adicionales significativos. Por eso, a los proveedores de telefonía inalámbrica les interesa mucho captar nuevos clientes.

Existe una gran complementariedad entre los teléfonos móviles y los servicios de telefonía inalámbrica. La experiencia ha demostrado que ofrecer teléfonos móviles a precios de saldo es una táctica efectiva para atraer clientes nuevos. Puesto que compran al por mayor, los proveedores de servicios inalámbricos consiguen grandes descuentos con Nokia, Motorola y otros fabricantes de teléfonos móviles. Muchas empresas ofrecen a los clientes nuevos teléfonos por menos de lo que ellas han pagado y algunas llegan a «regalarlos» junto con la firma del contrato. No obstante, si con ello captan un nuevo cliente que pagará 600 dólares al año en cuotas de mantenimiento y consumos, es un buen negocio para ellas, aunque paguen a Motorola 100 dólares por el aparato.

En cambio, hacer descuentos en las baterías de recambio no ha resultado ser un buen método para captar nuevos clientes. (Lo cual no es extraño, ya que, por regla general, la gente no suele comprar baterías de recambio.) Por tanto, a las empresas de telefonía inalámbrica les interesa vender teléfonos móviles a precios inferiores a las baterías que los alimentan.

¿Por qué en la India los pisos de arriba de los edificios altos cuestan más caros y, en los edificios bajos, los más caros son los de abajo?
(Pankaj Badlani)

En las torres de pisos de Bombay, el alquiler mensual de cada piso cuesta entre un 1 y un 3 por 100 más que el de un piso similar situado una planta más abajo. Por ejemplo, el alquiler de un piso en la planta vigesimoprimera cuesta entre un 15 y un 45 por 100 más que si estuviese en la quinta. En cambio, en los edificios de pisos de hasta cuatro plantas ocurre lo contrario. Las viviendas de las plantas primera y segunda se alquilan a un precio significativamente mayor que los mismos pisos de la tercera y cuarta. ¿Por qué en este caso sucede lo contrario?

En todos los casos, un piso más alto tiene mejores vistas y menos ruido de la calle. Estas ventajas se notan más en los pisos altos de las torres que en los pisos altos de los edificios bajos. Aun así, uno espera que la ventaja de estar más alto, con independencia de la altura del edificio, lleve aparejado un aumento, por pequeño que sea, en el precio del alquiler.

Pero en la India se da una circunstancia especial: los edificios de pisos de hasta cuatro plantas están exentos del requisito legal de disponer de ascensor. En los edificios bajos, los ocupantes de las plantas más altas tienen que subir varios tramos de escalera con las bolsas de la compra a cuestas. Además, como los pisos de más arriba no tienen vistas espectaculares ni aíslan por completo del ruido de la calle, la mayoría de la gente querría los pisos de las plantas bajas de los edificios bajos si todos los alquileres fueran iguales. La mayor demanda de esos pisos explica que se pida por ellos alquileres más altos.

¿Por qué muchas personas compran una casa más grande cuando se jubilan y sus hijos se van de casa? (Tobin Schilke)

Muchos jubilados continúan viviendo en la casa donde criaron a sus hijos y, cuando ya no se arreglan solos, se mudan a un centro residencial para la tercera edad. En las últimas décadas, los jubilados que sí se mudaban solían comprar viviendas más pequeñas en Florida, Arizona o en algún otro lugar de clima templado. Aunque muchos siguen haciéndolo, últimamente se está haciendo habitual entre los jubilados cambiarse a una casa mucho más grande en la misma zona donde vivían.[3] ¿A qué se debe esta moda?

Una posibilidad es que, en la actualidad, los jubilados tienen más dinero y pueden permitirse el cambio a una casa más grande. No obstante, ¿para qué quieren una casa más grande si sus hijos se han ido, y por qué prefieren que esté cerca de donde vivían? Podrían hacerse o comprarse una vivienda más espaciosa en un sitio con mejor clima. ¿Por qué se construyen una casa de quinientos metros cuadrados en Pensilvania?

Una explicación posible es que una casa grande cerca de donde viven los hijos incita a los nietos a visitarlos más a menudo. Ahora que es más habitual que las parejas se divorcien y vuelvan a casarse, muchos niños tienen, contando con los padres del padrastro o madrastra, seis o más abuelos. Ha aumentado la demanda de visitas de nietos, mientras que la oferta sigue siendo la misma. Por tanto, es posible que los abuelos construyan casas espaciosas cerca de sus nietos para aumentar su participación en la limitada cantidad de visitas que éstos pueden hacer.

Dibujo de Mick Stevens

Casas grandes para jubilados: ¿imanes de niños?

¿Por qué los hoteles de Sharm el Sheij cobran en los periodos de mayor ocupación precios más bajos que el resto del año?
(Rhonda Hadi)

Normalmente, los precios de los hoteles son directamente proporcionales a la ocupación, la cual, a su vez, es directamente proporcional a la demanda. Los niveles de ocupación de los hoteles de Sharm el Sheij, una ciudad turística de Egipto, son considerablemente más altos durante los meses de verano que durante los de invierno. Entonces, ¿por qué las habitaciones cuestan bastante menos en verano?

Los precios de las habitaciones de hotel no sólo dependen de los niveles de ocupación, sino también de que los clientes puedan pagarlas. Aunque Sharm el Sheij recibe menos visitantes en los meses de invierno, éstos suelen venir de Europa y otros países occidentales de elevado poder adquisitivo. Eligen esta localidad para huir temporalmente de los fríos inviernos septentrionales.

En cambio, los turistas de Egipto y otras zonas de Oriente Próximo no tienen que soportar inviernos tan fríos y por eso prefieren viajar en los meses de verano, en los cuales, además, se concentran las vacaciones de colegiales y trabajadores. Dado que estos visitantes suelen tener rentas más bajas que los que vienen en invierno, los hoteles no pueden mantener las elevadas tarifas que cobran en esta estación.

Las explicaciones de los ejemplos anteriores se basaban fundamentalmente en diferencias originadas en el lado de la demanda de los mercados. En ellos, se trataba de averiguar por qué los compradores están dispuestos a pagar más por un producto que por otro. Los ejemplos siguientes describen fenómenos cuya explicación reside principalmente en el lado de la oferta. En todos ellos, las ofertas inesperadas de productos o de precios están relacionadas de un modo u otro con diferencias en los costes.

¿Por qué son más baratas las fotografías en color
que las fotografías en blanco y negro? (Othon Roitman)

Cuando estaban creciendo los que nacieron durante el auge de la natalidad que se produjo en la posguerra mundial, las fotografías en color solían costar el doble o el triple que las fotografías en blanco y negro tradicionales. Sin embargo, hoy en día estas últimas son más caras. Por ejemplo, un laboratorio fotográfico de Ithaca, Nueva York, cobra 14,99 dólares por revelar e imprimir un carrete de treinta y seis fotos en blanco y negro, pero sólo 6,99 dólares por un carrete en color con el mismo número de fotos. ¿Por qué se han invertido los precios?

En la década de 1950, el mercado de fotografías en color estaba naciendo. Las técnicas que había entonces para imprimir una película en color eran mucho más complicadas y costosas que las que se empleaban para imprimir una película en blanco y negro. A causa de esta diferencia inicial en el coste, la mayoría de la gente sacaba fotos en blanco y negro, lo cual favorecía que los laboratorios se especializaran en ese formato. A medida que se expandió este mercado, la especialización dio lugar a mejoras en la eficiencia que aún bajaron más el coste de producir fotos en blanco y negro.

Mientras predominó el blanco y negro, el tratamiento del color continuó siendo un proceso intrínsecamente más complejo. Sin embargo, cuando el aumento de la renta permitió acceder al color a más consumidores, los fabricantes desarrollaron máquinas ópticas que revelaban las películas en color e imprimían las fotos automáticamente. Estas máquinas, que llegan a costar 150.000 dólares cada una, sólo eran rentables si el laboratorio revelaba e imprimía una gran cantidad de fotos al día. Tenían la enorme ventaja de que producían un gran número de fotos con un mínimo coste de mano de obra. Dado que estos costes constituían el componente principal de los costes del proceso fotográfico, los laboratorios que disponían de la nueva maquinaria podían producir y vender fotos en color mucho más baratas que las fotos en blanco y negro.

¿No podían estas nuevas máquinas producir fotos en blanco y negro? Sí podían, pero necesitaban un papel muy caro y la calidad de las fotos era peor que la de las fotos que se procesaban manualmente. Eso hizo que, con el tiempo, la fotografía en blanco y negro se convirtiese en un nicho de mercado para profesionales y personas muy aficionadas a la fotografía.

Hoy en día, las máquinas ópticas están siendo sustituidas por las digitales. Dado que estas últimas imprimen las fotos en blanco y negro en el mismo papel que utilizan para las fotos en color, pronto los costes de producir unas y otras serán prácticamente iguales. Cuando esto ocurra, el sobreprecio de las fotos en blanco y negro debería desaparecer.

¿Por qué se alquila por 40 dólares al día un coche nuevo que cuesta 20.000 y un esmoquin, que cuesta sólo 500 dólares, se alquila por 90? (John Gotte)

Las empresas de alquiler de coches de ámbito nacional, gracias a que compran grandes partidas de coches nuevos, pueden negociar importantes descuentos con los fabricantes. Normalmente, utilizan los coches dos años y luego los venden por aproximadamente un 75 por 100 de lo que les costaron. Por tanto, el coste de oportunidad de tener un coche es mucho más bajo para ellas que para un particular.

En cambio, la mayoría de los dueños de las tiendas que alquilan esmóquines operan a escala local. Una tienda de tamaño mediano viene a tener un inventario de mil chaquetas y, para renovarlo, no compra anualmente suficientes chaquetas como para conseguir descuentos importantes. Dado que el mercado de segunda mano de esas chaquetas es muy reducido, la tienda suele donarlos o venderlos por una cantidad irrisoria a escuelas de arte dramático o a orquestas. En consecuencia, mientras que los precios de las empresas de alquiler de coches tienen que cubrir alrededor de una cuarta parte del precio de compra de cada coche en un periodo de dos años, las tiendas de esmóquines se ven obligadas a establecer tarifas que cubran el importe íntegro que han desembolsado por cada chaqueta.

Aún más importante es el hecho de que el parque automovilístico de las empresas de alquiler de coches suele aprovecharse más que las existencias de una tienda de alquiler de esmóquines. En la mayoría de los casos, estas prendas se alquilan para acontecimientos que tienen lugar los sábados. Una tienda con un inventario de mil chaquetas quizá llegue a alquilar cien unidades un sábado, pero el resto de días de la semana puede darse por satisfecha si consigue alquilar cinco. En cambio, cada día sale una proporción considerable de la flota de una empresa de alquiler de coches.

Otro factor importante es que las empresas de alquiler de coches suelen ingresar bastante más que los precios que anuncian porque cobran aparte los añadidos. El recargo por el seguro, por ejemplo, es muy superior al coste de asegurar el coche. Asimismo, a los clientes que no llenan el depósito de combustible les cobran por litro mucho más de lo que cuesta en las gasolineras.

Por último, a menudo las tiendas de esmóquines tienen que hacer modificaciones en las chaquetas para ajustarlas al cliente, algo que puede llegar a ser tan caro como la propia tarifa de alquiler. Además, para poder alquilar de nuevo las chaquetas, tienen que lavarlas en seco, lo cual puede suponer un coste adicional de hasta diez dólares por cada transacción. En cambio, una empresa de alquiler de coches sólo necesita lavarlos con manguera antes de que salgan otra vez.

Por todo ello, aunque el precio de compra al por menor de un coche sea cuarenta veces mayor que el de un esmoquin, no debe extrañarnos que la tarifa diaria del alquiler de un coche sea menos de la mitad que la de una chaqueta.

*¿Por qué muchas tintorerías cobran más por las blusas
que por las camisas?* (Don Aday)

La lavandería automática Judd Falls de Ithaca, Nueva York,
cobra cinco dólares por lavar y planchar una blusa de algodón
y sólo dos por una camisa. ¿Está discriminando a las mujeres?

Hay estudios que revelan que las mujeres suelen pagar más
que los hombres por productos caros como los coches, cuyo
precio de compra a menudo es negociable. Pero éste no es el
caso de los servicios de lavandería. Normalmente, en las listas
de precios de las tintorerías, los precios de las prendas de
hombres son diferentes a los precios de las prendas de mujeres, y los clientes rara vez intentan obtener descuentos.

En general, cuanta más competencia hay en una industria,
es menos probable que discriminen a los clientes. Incluso en
una ciudad pequeña como Ithaca figuran más de diez tintorerías en las páginas amarillas, más que suficientes para ga-
rantizar una dura competencia. Si las tintorerías estuviesen
cobrando precios significativamente superiores a lo que les
cuesta lavar y planchar las blusas, estarían sirviendo dinero en
bandeja. Bastaría con que un competidor pusiera un anuncio
diciendo: «Blusas al mismo precio que las camisas» y en seguida arramblaría con todo el mercado femenino.

El hecho de que se mantengan las diferencias de precios
hace suponer que éstas se deben a diferencias en el coste de
procesar los dos tipos de prendas. Como en la mayoría de los
negocios de servicios, la mano de obra constituye el componente principal de los costes. El lavado de una blusa no puede
costar más que el de una camisa, ya que ambas prendas se me-
ten en la máquina y se lavan sin más. Por tanto, si existe una
diferencia de costes, ésta debe de estar en el planchado. Siempre que es posible, los empleados de las tintorerías planchan
las camisas en máquinas especiales que aceleran mucho el proceso. Las prendas que son demasiado pequeñas o tienen botones o detalles delicados, no se pueden planchar en estas má-

quinas. Además, una máquina de planchado corriente sujeta muy fuerte las camisas por abajo y deja una marca visible en la prenda. Las blusas o camisas que no pueden plancharse en una máquina planchadora, tienen que plancharse a mano, lo cual lleva mucho más tiempo.

En general, las máquinas de planchado sirven más para camisas que para blusas, las cuales, por ser más delicadas, se dañan con mayor facilidad en las máquinas. Además, como las mujeres no suelen meterse la blusa por debajo del pantalón o de la falda, les resulta inadmisible una marca grande en la parte inferior delantera de la prenda como la que dejan las máquinas de planchado. Dado que los hombres (al menos hasta hace poco tiempo) suelen meterse la camisa por debajo del pantalón, la marca no les preocupa.

Resumiendo, la explicación más admisible de por qué las tintorerías cobran más por las blusas es que, en general, les cuesta más plancharlas.

¿Por qué en los últimos años las películas en lengua hindi han atraído a muchos más espectadores? (Chris Anderson)

Hasta hace poco tiempo, una persona procedente de Nueva Delhi, pero residente en Estados Unidos, tenía que regresar a la India para ver películas en su lengua materna. Pero ahora, un habitante de Podunk, Nueva York, puede elegir entre cientos de películas en lengua hindi. ¿A qué se debe este cambio?

Como señala Chris Anderson en su libro *The Long Tail* («La larga estela»),[4] antes sólo los habitantes de ciudades grandes tenían la posibilidad de ver películas en lenguas extranjeras. Los dueños de las salas no ganan dinero alquilando una película a menos que acudan muchos espectadores a cada proyección. Eso es mucho pedir para una película en hindi, incluso en las ciudades con una gran población de inmigrantes indios.

Con la llegada de servicios de distribución de DVD como

Netflix, el mercado de películas relativamente desconocidas ha sufrido un cambio radical. Para sacar provecho de esas películas, ya no hace falta atraer a un gran número de espectadores a una sala y a una hora determinadas. Si alguien quiere ver *Gol Mol*, una comedia en hindi de 1979 protagonizada por Palekar, «un demandante de empleo obsesionado con el deporte cuyo jefe (Dutt) mantiene una disciplina férrea y prohíbe hablar en la oficina de temas que no tengan que ver con el trabajo», sólo tiene que añadirla a la lista de DVD pendientes de recibir o descargar de Netflix. En todo Estados Unidos no hay una sola ciudad con una población india lo bastante numerosa como para que a una sala le salga rentable proyectar *Gol Mol*. Sin embargo, para este tipo de películas sí hay público suficiente como para que a Netflix le compense pagar una pequeña cantidad por añadirlas a su catálogo.

Son cientos de miles las películas y libros que carecen de la demanda necesaria para que sea rentable su proyección en salas de cine o su exposición en librerías comerciales. La llegada de la distribución por Internet ha evitado que desaparezcan.

¿Por qué han aparecido campos de golf para tiros de salida por toda la periferia de Washington D. C. a principios de los años noventa? (Charles Kehler)

La demanda inmobiliaria de asociaciones sectoriales y grupos de presión en las proximidades de la capital estadounidense hace que sea caro el terreno en Washington D. C. Para compensar el coste de comprar un solar edificable en ese mercado, los promotores inmobiliarios tuvieron que cobrar alquileres elevados. Por los mismos motivos, solían construir edificios de oficinas o de viviendas con muchas plantas. No obstante, a principios de la década de los noventa, los promotores comenzaron a construir numerosos campos de golf para tiros de salida. A estos campos suelen acudir varias decenas de clientes

La mejor utilización de un recurso no siempre es rentable.

cada noche. Los clientes pagan unos cuantos dólares por el privilegio de lanzar al aire pelotas de golf, pero los ingresos mensuales no sufragarían ni siquiera los intereses del préstamo necesario para comprar esos terrenos. ¿Por qué los promotores destinan los terrenos a tal actividad?

A finales de los ochenta, los promotores de la zona de Washington construyeron edificios de oficinas y pisos a pasos acelerados. Los precios de la compra de viviendas y del alquiler de oficinas había estado subiendo muy rápido y los promotores adquirieron muchas parcelas de terreno construible previendo que dichos precios seguirían subiendo. El resultado fue que, cuando en 1991 comenzó la recesión económica que afectó a todo Estados Unidos, el mercado inmobiliario de Washington se encontró con un exceso de superficie construida. Los niveles de ocupación cayeron en picado y, con ellos, los precios de los alquileres. En esos años, los promotores que construían un edificio de oficinas o de viviendas en una parcela sabían que iba a estar desocupado durante un tiempo.

Si no construían en los terrenos no urbanizados, las alternativas eran venderlos a un precio muy bajo o quedarse con ellos hasta que el mercado se recuperase. Obviamente, a quienes siguieron esta última estrategia les convenía sacar algún provecho a los terrenos de forma provisional. Los campos de golf para tiros de salida eran una solución casi perfecta. Sólo necesitaban una provisión de pelotas de golf usadas, una caravana para despacharlas y un coche especial para recogerlas. Se trataba de una inversión mínima que iba a ser fácil de liquidar cuando el mercado inmobiliario se recuperase.

¿Cómo pueden los escasos ingresos de estos campos de golf justificar el coste de oportunidad de conservar terrenos comprados a un precio tan alto? Está claro que los promotores no habrían comprado los terrenos en el momento en que lo hicieron si hubiesen previsto la caída inminente. No obstante, como ya los habían comprado y tenían la intención de esperar hasta el final de la recesión, se vieron forzados a aprovecharlos provisionalmente de la mejor manera posible. En esas circunstancias, para que tuviese sentido invertir en un campo de golf, no era necesario que éste generase suficientes ingresos como para cubrir el coste de oportunidad del terreno que ocupaba. Bastaba con que los ingresos que generaba superasen el coste marginal de tenerlo en funcionamiento para que al promotor le compensase montarlo en lugar de dejar el solar ocioso.

Los últimos ejemplos de este capítulo versan sobre fenómenos que es preciso explicar considerando los dos aspectos del mercado, la oferta y la demanda.

¿Por qué son más caros los huevos morenos que los blancos?
(Jonathan Chang)

En el supermercado más grande de Ithaca, una docena de huevos gigantes categoría AA cuesta 3,09 dólares si tienen la cáscara blanca y 3,79 dólares si la tienen marrón. Según el Centro Nutricional de Huevos de Washington D. C., el color de la cáscara no influye en el sabor ni en el valor nutricional de los huevos.[5] ¿A qué se debe esta diferencia de precios?

Uno se siente tentado a decir que los huevos morenos cuestan más caros porque a los consumidores les gusta su aspecto y están dispuestos a pagar un sobreprecio por ellos. Pero esta observación no constituye una explicación satisfactoria, porque parece implicar que quienes venden huevos blancos están desaprovechando una oportunidad servida en bandeja. Si pudiesen obtener mayores beneficios vendiendo huevos morenos, ¿por qué siguen vendiendo huevos blancos?

Una explicación admisible es que resulta más caro producir huevos morenos que blancos. El color de un huevo depende de la raza de la gallina que los pone. La gallina Leghorn blanca, por ejemplo, pone huevos blancos, mientras que la gallina Rhode Island Red los pone morenos. Las gallinas marrones suelen ser más grandes que las blancas[6] y, como las necesidades diarias de calorías de una gallinan dependen de su tamaño, producir huevos morenos cuesta más caro. No obstante, para explicar por qué se venden a un mayor precio, debe cumplirse además un requisito importante por el lado de la demanda. A menos que a los consumidores les guste más el aspecto de los huevos marrones y estén dispuestos a pagar más por ellos, no estarían en venta.

¿Por qué Hallmark regala tarjetas «para cualquier momento»?
(Erik Jepson)

Hace poco tiempo, la empresa de tarjetas de felicitación Hallmark lanzó una promoción que regalaba tarjetas no asociadas a ocasiones especiales. Estas tarjetas, que contenían mensajes breves como «Lo siento», «Te echo de menos» y «Buena suerte», se exponían en estanterías especiales, independientes y muy llamativas con un cartel que decía: «¡Tarjetas gratis! Máximo dos por cliente». En ellas había ilustraciones de mucha calidad impresas en un material excelente. No eran excedentes de inventario ni estaban sucias, dobladas o dañadas. Tampoco era necesario que el cliente comprase otros artículos de Hallmark para llevárselas. ¿Por qué regalaba Hallmark estas tarjetas?

Las tarjetas de felicitación tienen un margen extremadamente alto. Aunque el coste marginal de producir una tarjeta es sólo de unos pocos centavos, su precio de venta suele ascender a varios dólares la unidad. Estos márgenes tan elevados son necesarios para cubrir los costes indirectos ocasionados por el mantenimiento de la red comercial que vende las tarjetas. A excepción de las tarjetas de cumpleaños, que se venden regularmente a lo largo de todo el año, muchos de los modelos de tarjetas de mayor éxito se venden exclusivamente en ciertas épocas del año, como las tarjetas de Navidad o las de final de estudios. Eso hace que los establecimientos Hallmark se llenen de vez en cuando, pero estén casi vacíos el resto del tiempo. La empresa podía aumentar sus beneficios sustancialmente si encontraba otras maneras de vender tarjetas fuera de temporada.

Cuando aparecieron los expositores de tarjetas gratuitas, no había un mercado consolidado para tarjetas no asociadas a ninguna ocasión especial. Por regla general, los clientes de Hallmark sólo compraban tarjetas para cumpleaños u otros momentos señalados. Si la empresa se hubiese limitado a poner en venta las nuevas tarjetas, casi nadie se habría fijado en ellas. Sin embargo, al exponerlas de forma llamativa, consiguió que muchos clientes se las llevasen. Sabía que, si al menos unos pocos clientes les encontraban alguna utilidad y quedaban satisfechos, a largo plazo saldría muy beneficiada. Y, efectivamente, Hallmark vende ahora tarjetas para cualquier momento prácticamente al mismo precio que el de las tarjetas para ocasiones especiales. Teniendo en cuenta que su negocio consistía en vender artículos de temporada con márgenes muy altos, esta promoción fue todo un éxito.

¿Por qué los laboratorios fotográficos regalan los duplicados?
(Laura Sandoval)

Cuando llevamos un carrete a revelar, muchos laboratorios regalan un segundo juego de fotografías a pesar de que, normalmente, muchas no nos gustan lo suficiente como para sacar un duplicado. Entonces, ¿por qué las tiendas regalan duplicados que no valen para nada en lugar de vender a mitad de precio el primer juego de fotografías?

Como hemos visto en páginas anteriores hoy en día se suelen revelar e imprimir automáticamente las películas de fotografía. El empleado sólo tiene que introducir la película con los negativos y la máquina hace el resto. Para obtener un segundo juego de fotografías, el empleado aprieta un botón. La operación no requiere tiempo de trabajo adicional. Aunque el papel y las sustancias químicas necesarias para realizar los duplicados suponen un coste, éste es mínimo. Por tanto, sacar dos juegos de fotografías sólo cuesta un poco más.

Desde el punto de vista del comprador, aunque la mayoría de las fotografías de un carrete salgan mal, siempre hay unas cuantas lo suficientemente buenas como para enviarlas a familiares y amigos. Los clientes que sólo reciben un juego de fotografías tienen que identificar los negativos de aquellas que quieren duplicar y volver al laboratorio. Cuando los duplicados se sacan de esta manera, hace falta más cuidado y atención por parte del operario, así que las tiendas tienen que cobrar precios elevados para que les resulte rentable hacerlos.

En consecuencia, las tiendas que regalan un segundo juego de fotografías ofrecen a sus clientes una prestación muy valiosa con un mínimo aumento en sus costes. Si una tienda no hiciese esta oferta, seguramente muchos de sus clientes se irían a la competencia.

¿Por qué los libros y CD de mayor éxito cuestan más baratos que los menos vendidos y, en cambio, en las entradas de cine ocurre lo contrario? (Ed Varga)

El precio de catálogo del CD *Modern Times* de Bob Dylan es 18,99 dólares; en cambio, cuando salió, en agosto de 2006, amazon.com lo vendió por sólo 8,72 dólares, un descuento de casi un 55 por 100. En cambio, los discos de músicos menos conocidos se venden con descuentos mucho menores. Por ejemplo, el disco *Motifs* de Paris Combo tiene un precio de catálogo de 17,99 dólares y amazon.com lo vende a 14,99 dólares, un descuento de menos del 17 por 100. Lo mismo sucede con los libros. La librería Borders, por ejemplo, ofrece un descuento del 25 por 100 en los libros más vendidos pero, en casi todas las demás obras, cobra el precio de venta al público propuesto por la editorial.

En el caso de las películas de cine, ocurre lo contrario. Aunque el precio anunciado de las entradas para todas las películas que se proyectan a una hora y en un cine determinados suele ser el mismo, es mucho menos probable que los dueños de las salas ofrezcan descuentos en las películas taquilleras que en las demás. ¿Por qué los comercios de libros y CD, a diferencia de los cines, no se aprovechan de que los consumidores están dispuestos a pagar más por los productos de mayor éxito?

Cada libro, película y CD es único. Dado que los competidores no pueden ofrecer productos sustitutivos, en estos mercados no existe competencia perfecta. Aun así, lo normal en los mercados donde la competencia no es perfecta es que tengan mayor coste los productos y servicios más valorados por los compradores. Esto, como hemos dicho, es lo que ocurre con las películas.

¿Están exentos los músicos de las leyes de la oferta y la demanda?

Una explicación adecuada de por qué los libros y los CD se apartan de la norma debe empezar constatando que los costes de los vendedores de estos productos son muy diferentes de los que soportan los propietarios de las salas de cine. En el caso de estas últimas, el recurso escaso que determina los precios no son las películas, sino las butacas. Una vez que se ha llenado una sala, es imposible vender entradas a más espectadores, aunque éstos estén dispuestos a pagar mucho dinero por ellas. Eso hace que a los dueños de las salas no les interese en absoluto ofrecer descuentos en películas que pueden llenar las salas al precio habitual de la entrada. En cambio, es improbable que los vendedores de libros y de discos se vean obligados a rechazar clientes si hacen descuentos en los artículos más demandados. Generalmente, tienen la capacidad de prever qué artículos van a venderse más y de satisfacer la demanda guardando muchos ejemplares en el almacén. Dado que la rotación de estos artículos es muy rápida, el coste de almacenamiento por ejemplar es muy bajo. Los libros y CD menos demandados, de los cuales sólo se vende un ejemplar o dos en varios meses, generan menos ingresos en relación con el espacio que ocupan y, por tanto, es más caro tenerlos en existencia.

Si bien casi todos los minoristas tienen en existencia los libros y discos de mayor éxito (pues saben que los van a vender rápidamente), las existencias de artículos menos conocidos que tienen en sus almacenes no coinciden tanto. Esto significa que, entre ellos, hay mucha más competencia en los artículos más vendidos. Si a un cliente no le gusta lo que cuesta el nuevo CD de Bob Dylan en una tienda, puede comprarlo en muchas otras. En cambio, pocas tiendas tienen existencias del último disco de Paris Combo. Si alguien tiene prisa por comprarlo, no le queda más remedio que pagar el precio que fija la tienda.

Las tiendas de discos y de libros de mayor volumen de ventas aconsejan a sus clientes obras desconocidas pero prometedoras que, de lo contrario, les habrían pasado inadvertidas. Por tanto, el coste de contratar personal de ventas entendido en la materia y capaz de dar estas indicaciones procede principalmente de las obras menos famosas. Uno de los motivos por los que se hacen descuentos en los artículos más conocidos es que resulta mucho más barato venderlos. En consecuencia, la próxima vez que se siente a escuchar el estupendo CD que acaba de sacar Paris Combo, recuerde que le costó más que los discos superventas de Wal-Mart porque su tienda de discos incurrió en el coste adicional de contratar a un vendedor lo suficientemente ducho como para intuir que le iba a gustar.

No obstante, otro motivo de los descuentos en los libros y CD superventas es que atraen más clientes a las tiendas y aumentan así la probabilidad de que éstos compren otras obras.

¿Por qué las universidades privadas mejor consideradas
no cobran más por la matrícula que las que se encuentran
por debajo de ellas en la clasificación? (Lonnie Fox)

Las tasas anuales de matrícula que cobran los 100 mejores
centros privados según la clasificación del *U.S. News and World
Report* varían dentro de una franja sorprendentemente estre-
cha. Sin embargo, las universidades mejor consideradas de
este grupo reciben muchas más solicitudes para entrar en el
primer curso que las que figuran por debajo de ellas en la clasificación. Por ejemplo, recientemente, una de las mejores universidades admitió a menos del 10 por 100 de los estudiantes
que solicitaron plaza, mientras que muchas de las que ocupan
posiciones inferiores suelen admitir al 50 por 100 o más de los
aspirantes. Asimismo, las universidades de mayor prestigio
gastan más por alumno y año que el resto de centros. Si los
costes y la demanda son mayores en el caso de las mejores universidades, ¿por qué éstas no cobran más?

Aunque sólo diez universidades pueden ocupar los diez
mejores puestos de la clasificación en un momento determinado, suele haber otras cincuenta que están firmemente conven-
cidas de que, de no ser por las imperfecciones de los criterios
de clasificación, habrían estado entre las diez mejores. La dirección de estos centros cuenta con la total aprobación del
cuerpo docente, el alumnado y los antiguos alumnos para hacer todo lo posible por mejorar la reputación de la universidad
frente a los terceros que la evalúan. Estos tres grupos tienen
mucho que ganar si aumenta el prestigio de la universidad.

Para poder aspirar a los puestos más altos, las universidades deben atraer al mejor alumnado a escala mundial. En
muchas de las fórmulas empleadas para establecer la clasificación figura la nota media que los estudiantes de primer curso obtuvieron en la prueba de admisión (SAT). Eso hace que
las universidades más prestigiosas se vean obligadas a competir duramente por los mejores estudiantes. Los pocos elegidos

que finalmente admiten también son muy buscados por las demás universidades de élite.

La Universidad de Harvard no tendría ninguna dificultad para llenar las aulas del primer curso de estudiantes con un nivel razonablemente bueno incluso aunque cobrase una matrícula de 100.000 dólares al año. Pero, si cobrase tanto, sólo atraería a una mínima parte de los estudiantes con mejores notas que atrae hoy en día. Muchos padres dirían: «¿Por qué vamos a pagar 100.000 dólares por mandar a nuestro hijo a Harvard si puede entrar en Princeton por sólo 40.000 dólares?».

El importe de la matrícula sólo cubre una parte—en muchos casos, menos de un tercio—del coste total de enseñar a un estudiante. El resto procede en gran medida de contribuciones anuales y donaciones de antiguos alumnos y otras personas. Los centros que ocupan los mejores puestos de la clasificación pueden cubrir los mayores costes de la enseñanza que imparten porque suelen tener unos ingresos procedentes de contribuciones y donaciones mucho más elevados que los de los centros peor clasificados.

En el equilibrio resultante, los estudiantes pagan lo mismo por estudiar en las universidades mejor clasificadas que por estudiar en la número 100. La mejor universidad no puede cobrar más porque necesita a los estudiantes de mayor talento tanto o más como ellos la necesitan a su vez.[7]

POR QUÉ LOS TRABAJADORES DE IGUAL CAPACIDAD TIENEN A MENUDO SUELDOS DIFERENTES Y OTROS MISTERIOS DEL MUNDO DEL TRABAJO

El mercado de trabajo es el más importante de todos los mercados en que participamos a lo largo de nuestra vida. Aunque en los mercados no se pueden vender personas, la venta de sus servicios es completamente legal. El mercado de estos servicios está sometido a las mismas leyes de la oferta y la demanda que rigen los mercados de productos. Cuando aumenta la oferta de carpinteros, el promedio salarial en este sector suele caer. Si aumenta la demanda de programadores, cabe esperar que suba su nivel salarial.

El primer ejemplo que vamos a analizar en este capítulo ilustra el principio fundamental de los mercados de trabajo: Los trabajadores suelen recibir un salario más o menos proporcional a su aportación al beneficio de sus empleadores.

¿Por qué las modelos ganan mucho más que los modelos?
(Fran Adams)

En 2005, la modelo Heidi Klum ganó 7,5 millones de dólares[1] y algunas modelos la superaron, siendo Gisele Bündchen, con sus más de 15 millones de dólares, la que mayores ingresos obtuvo. Cinco supermodelos entraron ese año en la lista de famosos mejor remunerados que publica *Forbes Magazine*. Todas eran de sexo femenino. ¿Por qué cobran mucho más las supermodelos?

Foto gentileza de la revista *Elle*

Cyndy Crawford, la supermodelo mejor pagada de los años noventa. Aun hoy, los supermodelos ganan bastante menos.

Para dar respuesta a esta pregunta, lo primero es preguntarse qué aportan los modelos a los fabricantes de ropa que los contratan. Pues bien, en pocas palabras, su trabajo consiste en hacer que la colección del fabricante guste lo más posible a los compradores potenciales. Dado que, en general, la ropa parece más bonita cuando la llevan personas atractivas, los fabricantes buscan a los modelos más guapos para sus fotos. Por tanto, los modelos más guapos, ya sean de sexo masculino o femenino, suelen estar mejor pagados. Y, como la sociedad tiene para cada sexo un patrón distinto de belleza, no tiene sentido decir que las modelos ganan más porque son más guapas que sus compañeros de sexo masculino.

Las modelos perciben una prima salarial porque el negocio de la ropa femenina es mucho más importante que el de la ropa de hombre. En Estados Unidos, por ejemplo, las mujeres gastan anualmente en ropa más del doble que los hombres y, en otros países, la diferencia es aún más mayor. Con tanto dinero en juego, es razonable desde el punto de vista económico que los fabricantes de ropa de mujer apuesten fuerte por una modelo que encarna la imagen del momento. Las revistas de moda de gran difusión como *Vogue* y *Elle* influyen enormemente en las compras de cosméticos y ropa de mujer. Cada número contiene fotografías de cientos y hasta miles de modelos femeninas. Aquellas que, destacando entre esta muchedumbre de fondo, logran captar la atención del lector, valen su peso en oro. Por eso, se comprende fácilmente por qué los fabricantes están dispuestos a pagar mucho más por una modelo que sobresale, aunque sólo sea un poco.

En comparación, las ventajas de contratar a un modelo más guapo son insignificantes. Hay pocos hombres que puedan decir el nombre de una revista de moda masculina y menos aún que lean alguna de ellas. Si una marca de ropa contrata a un modelo un poco más atractivo, vende alguna prenda más, pero ni mucho menos tantas más como las que vende una que contrate a una modelo más guapa.

También se contrata a mujeres para que sean modelos de cosméticos, un tipo de producto en el que los beneficios de contratar a una modelo más impactante pueden ser inmensos. Dado que, normalmente, los hombres no utilizan cosméticos, pocos modelos acceden a este segmento del mercado de trabajo.

¿Por qué los salarios de los trabajadores mejor pagados
han crecido mucho más rápidamente que los del resto?

En las tres décadas siguientes a la Segunda Guerra Mundial, los salarios crecieron a un ritmo parecido, poco menos del 3 por 100 anual, en los diferentes niveles salariales. Sin embargo, casi todos los aumentos salariales que se han producido desde entonces han beneficiado a los trabajadores de los niveles más altos. Por eso, aunque ahora el salario promedio, en términos de poder adquisitivo, es prácticamente el mismo que en 1975, el 1 por 100 de los trabajadores mejor pagados ganan alrededor de tres veces más de lo que ganaban antes. Por ejemplo, el salario de los directores generales de las mayores empresas estadounidenses es hoy más de 500 veces superior al salario medio, cuando, en 1980, era sólo 42 veces superior. ¿A qué se debe este cambio?

Aunque hay que tener en cuenta muchos factores, uno de ellos destaca sobre los demás, a saber, el ritmo acelerado del cambio tecnológico ha aumentado la capacidad de generar beneficios por parte de los individuos más hábiles.[2] Si bien la situación es diferente en cada sector, el de los servicios de asesoramiento fiscal es un buen ejemplo de este fenómeno.

En los años setenta, este sector se componía principalmente de contables que ejercían en una zona determinada. Los de mayor talento ganaban más que sus colegas, pero las diferencias en ingresos solían ser reducidas. Entonces, aparecieron gran número de franquicias de asesoría fiscal, por ejemplo H&R Block, que operaban a escala nacional. Quienes las montaron se habían dado cuenta de que la mayor parte de las devoluciones de impuestos podían conseguirse con un equipo de personas no cualificadas dirigido por un número relativamente reducido de expertos. Apoyándose en efectivas campañas publicitarias a escala nacional, estas empresas desviaron la demanda, anteriormente cubierta por contables locales, y aportaron a los organizadores de las franquicias enormes incrementos salariales.

Recientemente, la gente ha empezado a utilizar programas de ordenador que ayudan a gestionar las devoluciones fiscales. Al principio muchos programas competían por el favor de los consumidores, pero, en cuanto los críticos llegaron a la conclusión de que TurboTax y algunos otros eran los programas más completos y fáciles de usar de esta lid, desapareció la competencia en este mercado. Una vez que se ha terminado de escribir el código del mejor programa fiscal, las copias se pueden sacar a un coste marginal nulo, circunstancia que deja fuera del juego económico a los programas menos afortunados. Si comparamos la actual industria del asesoramiento fiscal con la que había en los años setenta, constatamos que los perdedores son los contables locales y los grandes ganadores son los empresarios que fabrican los programas de ordenador que, como TurboTax de Intuit, se han impuesto en el mercado.

Por razones similares, los salarios de los directores generales se han disparado. Las modernas tecnologías de la información, junto con la disminución de los costes del transporte y de las barreras arancelarias, han ampliado los mercados. Antes, una empresa de neumáticos podía sobrevivir si era el mejor fabricante de Ohio. Hoy en día, no sobrevive si no pertenece al reducido grupo de los fabricantes más eficientes del mundo. Debido a la mayor amplitud y competitividad de los mercados actuales, las pequeñas diferencias en la calidad de las decisiones de los directivos se convierten en grandes diferencias en los beneficios de las empresas.

Por supuesto, no en todos los casos el incremento de la competencia y de la capacidad para generar beneficio explica el aumento en la remuneración de los directivos. Como ponen de manifiesto los ejemplos de Enron y WordCom, algunos directivos han recurrido al fraude contable para aumentar sus ingresos. No obstante, algunos estudios muestran que los aumentos salariales en la cúspide se han producido sobre todo porque las decisiones de los directivos repercuten mucho más en los resultados.[3]

En los mercados de productos, el precio de un bien depende de sus cualidades. Por ejemplo, un televisor de alta definición se vende a un precio más alto que uno ordinario. Lo mismo ocurre en el mercado laboral, donde la remuneración de cada puesto depende de sus características. Lo que los economistas llaman «teoría de las diferencias salariales que compensan» tuvo su primera formulación en *La riqueza de las naciones* de Adam Smith:

El conjunto de las ventajas y desventajas de los diferentes empleos de la mano de obra y de los recursos de una zona debe ser exactamente igual o tender continuamente hacia la igualdad. Si en una zona hubiese un empleo claramente más o menos ventajoso que los demás, muchas personas lo ocuparían en el primer caso y, en el segundo, lo abandonarían, de tal forma que sus ventajas no tardarían en nivelarse con las de los demás empleos [...] Movida por el interés propio, toda persona buscará el empleo ventajoso y rechazará el que presente inconvenientes.

Así es como explica Adam Smith por qué, si todos los demás factores importantes son iguales, los salarios son más altos en el caso de trabajos que tienen mayor riesgo, requieren más esfuerzo o se realizan en lugares feos o malolientes. Los ejemplos siguientes muestran otras consecuencias, tal vez menos esperadas, de la teoría de las diferencias salariales que compensan.

¿Por qué los obreros que pavimentan las entradas para coches cobran la mitad en las afueras de Dallas que en las de Minneapolis? (Danielle Routt)

Poco después de trasladarse a una casa en la periferia de Dallas, la propietaria pidió un presupuesto para volver a pavimentar la entrada de coches de su casa, una obra que ya había realizado en la casa que acababa de vender en las afueras de

Minneapolis. Para su sorpresa, el importe presupuestado de los materiales era casi igual al que había pagado en Minneapolis, pero el de la mano de obra era sólo la mitad. ¿Por qué en Dallas es mucho más barata la mano de obra?

Según la ley del precio único, los trabajos que requieren la misma cualificación y se realizan en condiciones laborales similares deberían recibir idéntica remuneración. La cualificación necesaria para pavimentar la entrada de una casa es esencialmente la misma en Minneapolis que en Dallas y, en uno y otro lugar, esta tarea requiere el mismo esfuerzo. Sin embargo, otras características de este trabajo no son igualmente atractivas. En concreto, el clima relativamente benigno de Dallas permite a los contratistas de la pavimentación trabajar durante todo el año, mientras que los inviernos rigurosos de Minneapolis los obligan a parar varios meses. (Se dice que hay dos estaciones en Minneapolis: invierno y julio.) Si la forzosa parada invernal sólo durase unas cuantas semanas, ésta no se consideraría una desventaja. Pero la imposibilidad de trabajar varios meses seguidos mermaría peligrosamente el sustento de los contratistas si ganasen lo mismo que en Dallas.

Según la teoría de Adam Smith de las diferencias salariales que compensan, los salarios se ajustan de tal forma que, en conjunto, las condiciones de trabajo tienden a ser iguales en todos los empleos que requieren una cualificación similar. Si un trabajo tiene mejores condiciones que otro, la remuneración de aquél tenderá a ajustarse a la baja. Una de las condiciones favorables que Adam Smith menciona explícitamente es la «constancia en el empleo». Esta característica permite explicar en parte por qué la mano de obra de los contratistas de Minneapolis cuesta mucho más cara que la mano de obra de los de Dallas. Esta mayor remuneración es necesaria para compensar a los contratistas de Minnesota por el hecho de no poder realizar su trabajo durante los meses de invierno.

Un factor que acentúa aún más las diferencias salariales entre las dos ciudades es la concentración de la demanda que se produce en Minneapolis a causa de la brevedad de la temporada de trabajo, pues todo aquel que quiera arreglar la entrada de su casa en un año determinado se ve obligado a hacerlo en los mismos cinco o seis meses.

¿Por qué en los restaurantes de cinco tenedores cobran más los camareros que los ayudantes del jefe de cocina? (Lesley Viles)

El camarero de un restaurante de lujo llega a ganar cientos de dólares por noche sólo en propinas, mientras que, normalmente, el ayudante del jefe de ese mismo restaurante gana sólo una pequeña parte de eso. Aunque los dos trabajos son importantes para que el restaurante marche bien, suele considerarse que es más difícil encontrar trabajadores con la experiencia, capacidad y formación necesarias para ser un buen ayudante del jefe de cocina que encontrar buenos camareros. Entonces, ¿por qué cobra mucho más el camarero?

La remuneración de un trabajo cualquiera depende de muchos factores aparte de la cualificación. Muchos trabajos de gran cualificación están relativamente mal pagados porque se consideran trampolines para otros puestos muy codiciados. Esto es lo que ocurre con el puesto de ayudante del jefe de cocina, no así con el de camarero. Existen trabajadores muy cualificados que están dispuestos a trabajar como ayudantes del jefe de cocina por un salario relativamente bajo, porque este empleo proporciona una experiencia y un adiestramiento esenciales para llegar a ser *chef*, un puesto prestigioso y bien remunerado.

En cambio, el puesto de camarero carece de posibilidades de promoción. Muchos camareros nunca acceden a trabajos mejor pagados y, si lo logran, no suele ser por su experiencia laboral como tales.

¿Por qué los directores generales de las grandes empresas tabacaleras están dispuestos a testificar bajo juramento que la nicotina no es adictiva?

El 14 de abril de 1994, los directores generales de siete grandes empresas tabacaleras estadounidenses prestaron juramento ante un comité parlamentario encargado de regular los productos del tabaco. Uno a uno, los directores generales declararon estar convencidos de que la nicotina no es adictiva. Dado que las pruebas científicas de que la nicotina es extremadamente adictiva son de dominio público,[4] estos directivos fueron objeto de burla y reprobación generalizadas a causa de su testimonio. ¿Por qué están dispuestos a soportar esta humillación?

No hay duda de que la obligación de convertirse en el hazmerreír del público constituye una condición laboral no deseada desde el punto de vista de la teoría de Adam Smith de las diferencias salariales que compensan. Como cabía esperar, los

Foto de Stephen Crowley / *New York Times*

Directivos de tabacaleras: ¿salarios más elevados por realizar una tarea desagradable?

directores generales de las tabacaleras están entre los ejecutivos mejor pagados de Estados Unidos. Por ejemplo, Altria, la sociedad matriz de las empresas de tabaco Philip Morris, pagó a su director general 18,13 millones de dólares en el año 2005.[5]

¿Por qué suele ocurrir que, entre los trabajadores que realizan un mismo tipo de trabajo en una empresa, los menos productivos ganan más de lo que vale lo que producen, mientras que los más productivos ganan menos?

Según la teoría de los mercados de trabajo competitivos, los trabajadores perciben una remuneración proporcional al valor de lo que producen para sus empleadores. Sin embargo, en la mayoría de las empresas parece que la productividad de los empleados que realizan trabajos similares varía mucho más que sus salarios. Los trabajadores de mayor categoría parecen ganar menos en proporción a lo que contribuyen y, los de menor categoría, más. Se diría que a estos últimos les está saliendo el negocio redondo. Pero, si es verdad que los trabajadores que ocupan puestos altos están mal pagados, ¿por qué no los captan otros empleadores ofreciéndoles una remuneración adecuada?

A primera vista, esto podría sugerir que se está sirviendo dinero en bandeja. Si la trabajadora de mayor categoría de una empresa vale 100.000 dólares y gana sólo 70.000, una empresa de la competencia podría obtener inmediatamente un beneficio de 20.000 dólares contratándola por 80.000. Pero, aun así, las demás empresas seguirían teniendo la posibilidad de embolsarse dinero fácilmente. La puja haría que su salario llegase rápidamente a 100.000 dólares, si eso es lo que vale su contribución.

Una posible explicación de por qué la actual distribución salarial podría ser estable parte del supuesto de que la mayoría de los trabajadores que se dedican a una actividad determinada prefieren ocupar puestos altos dentro de ella a ocupar puestos bajos. Pero estas preferencias no pueden satisfacerse en todos los casos dentro de un mismo tipo de trabajo, pues siempre habrá un 50 por 100 de puestos de inferior categoría. Por tanto, la única manera de que algunos trabajadores puedan disfrutar de las ventajas propias de los puestos altos es que otros estén dispuestos a soportar las desventajas de pertenecer a una categoría inferior. Si no se puede obligar a los trabajadores a permanecer contra su voluntad en una empresa, los de menor categoría sólo querrán quedarse si reciben alguna compensación adicional.

¿De dónde se saca esta compensación adicional? Al parecer, se financia recaudando un impuesto implícito sobre la renta percibida por los compañeros de mayor rango. Si el impuesto no es excesivo, estos trabajadores estarán satisfechos y se quedarán en la empresa a pesar de que podrían ganar más en otra. Por otro lado, el mayor salario que perciben los trabajadores de menor categoría compensa las desventajas correspondientes. En cada empresa, la distribución salarial resultante cumplirá la misma función que un impuesto sobre la renta progresivo.[6]

En muchas profesiones, los trabajadores pueden elegir entre varias alternativas laborales en diferentes empresas. Aquellos que no tienen especial interés en acceder a una categoría elevada hacen bien aceptando puestos de poca categoría, pero generosamente remunerados, en empresas cuyos trabajadores son muy productivos. En cambio, quienes sí dan mucha importancia a la categoría es mejor que opten por puestos altos poco remunerados en empresas cuya productividad media es menor.

Aunque el mercado de trabajo tiene muchos rasgos en común con los mercados de bienes—por ejemplo, el mercado de las máquinas registradoras o el de las prensas—, hay diferencias importantes entre ellos. Por ejemplo, los empleadores no necesitan preocuparse de que una prensa realice demasiadas pausas para tomar café o robe material del almacén de la oficina. Como muestran los ejemplos siguientes, esas diferencias explican muchas distribuciones salariales y prácticas laborales de gran interés.

¿Por qué damos propina cuando nos prestan determinados servicios, pero no en los demás casos? (Dolapo Enaharo)

Cuando se sale a cenar en Estados Unidos, es costumbre dejar al camarero una propina de entre el 15 y el 20 por 100 de la cuenta si éste ha dado un buen servicio. En cambio, en el caso de muchos otros servicios, quienes los realizan no esperan recibir propina. Además, es ilegal dar propina a quienes prestan servicios. ¿Por qué se hace esta distinción?

Se cree que la costumbre de dejar propina en los restaurantes surgió para obtener un mejor servicio. Los dueños de los restaurantes están dispuestos a pagar salarios más altos a los camareros atentos y amables con la clientela porque, si los clientes están a gusto, es más probable que vuelvan. Por su parte, los camareros están dispuestos a esforzarse más si les pagan mejor. El problema es que a los dueños les resulta muy difícil controlar directamente la calidad del servicio en las mesas. Una forma de resolverlo es bajar ligeramente el precio de los platos y poner un cartel que exhorte a los clientes a dejar una pequeña cantidad al camarero si están satisfechos con el servicio que han recibido, pues ellos son los que mejor pueden controlar la calidad de éste. Además, como la mayoría de los clientes son asiduos de los mismos restaurantes, un camarero que recibe de un cliente una propina generosa por haber prestado un buen servicio en una ocasión suele esforzarse aún más por complacerlo cuando éste vuelve.

Debido a la fuerte competencia en el sector de la restauración, es difícil que los camareros se aprovechen de los clientes rehusando un buen servicio a quienes no dejan propinas desmesuradas. Si lo hiciesen, los clientes no volverían porque disponen de alternativas.

En cambio, en otros casos, los clientes no gozan de esta protección. Por ejemplo, los dueños de vehículos que no están contentos con el modo como los ha atendido el funcionario de la jefatura de tráfico no pueden hacer la gestión en otro sitio. Normalmente, los ciudadanos no acuden a esta oficina pública si no es necesario. Por supuesto, sería un placer recibir un servicio mejor en ella, pero es comprensible que no deseemos permitir a los funcionarios de la jefatura de tráfico que exijan propina como condición para atendernos.

¿Por qué muchos restaurantes de comida rápida dejan comer gratis a los clientes que no quieren factura? (Sam Tingleff)

Muchos de los clientes de los restaurantes de comida rápida no viajan con los gastos pagados y, por tanto, es improbable que necesiten la factura de la comida para que les devuelvan el importe. Entonces, ¿por qué muchos de estos restaurantes ponen un cartel junto a la máquina registradora anunciando que la comida es gratuita si el cliente no pide una factura en el momento de pagar?

Para evitar que les roben dinero, los dueños de los restaurantes y de otros comercios exigen a cada cajero que concilien el total de efectivo ingresado durante su turno con el volumen total de ventas registradas en su máquina. Si el efectivo es menor, lo habitual es que los cajeros tengan que poner de su bolsillo la diferencia.

Un ardid que pueden utilizar los cajeros para burlar este control consiste en no registrar una parte de sus transacciones. El truco funciona porque es difícil hacer corresponder uno a uno los movimientos de la despensa con cada una de las tran-

COMIDA GRATIS
SI NO LE DAN EL
RECIBO CUANDO
PAGUE

Dibujo de Mick Stevens

*Controlar a los empleados: el cliente suele tener la vista
más aguda.*

sacciones de una determinada máquina registradora. Eso significa que, si un cajero no registra la comida de 20 dólares de un cliente, puede embolsarse esta cantidad sin provocar un desfase contable al final del día.

Los dueños podrían contratar supervisores para controlar que los cajeros registran todas las transacciones. Pero eso costaría mucho dinero. Ofreciendo una comida gratuita a los clientes que no reciben factura, los dueños les proporcionan un incentivo económico para que controlen gratis a los cajeros.

¿Por qué a lo largo de los años el salario de un trabajador
suele subir a un ritmo más rápido que su productividad?
(Edward Lazear)

En las empresas que mantienen a sus trabajadores durante
mucho tiempo es habitual que el salario de un empleado crez-
ca cada año más de lo que aumenta su productividad. Si suponemos que el salario medio de un trabajador no puede rebasar
su productividad media a lo largo de los años que trabaja en
una empresa, se sigue que los trabajadores de estas empresas
ganan menos de lo que valen en los primeros años de su carrera en ellas y más en los últimos. Pero, ¿cómo es que una empresa mantiene a una empleada una vez que su salario rebasa
el valor de lo que produce?

Una explicación de esta evolución salarial a lo largo del
tiempo es que constituye un procedimiento eficaz para evitar
que los trabajadores engañen a su empresa o se dediquen a
holgazanear.[7] Sólo en Estados Unidos, el comportamiento laboral ilícito cuesta a las empresas miles de millones de dólares
al año. Si éstas encontrasen medios para reducirlo, podrían
pagar más a sus empleados y, a la vez, aumentar sus beneficios.
La posible ventaja de un plan salarial que considera subidas
superiores al incremento de la productividad consiste en que a
un trabajador deshonesto no le interesa un empleo con un
contrato así. Aunque el valor total de la remuneración por los
años trabajados sea muy alto, los salarios de los primeros años
estarían por debajo de lo que podría percibir con otro empleador, y este tipo de trabajador tiene motivos para temer que lo
descubran y despidan antes de acceder al nivel salarial codicia-
do. En cambio, los trabajadores cumplidores aceptarían un
empleo en estas condiciones confiando en mantenerse en el
puesto lo suficiente como para cobrar las primas diferidas. Por
su parte, las empresas saben que, si no mantienen la fama de
cumplir con los contratos, ponen en peligro su capacidad de
atraer y contratar a nuevos trabajadores.

*¿Por qué a veces las empresas ofrecen salarios innecesariamente
elevados para atraer la calidad y cantidad de personal
que quieren contratar?* (George Akerlof)

Según la teoría de los mercados de trabajo competitivos, los
empleadores sólo elevan su oferta salarial lo necesario para
atraer el personal que precisan. No obstante, a menudo se presentan para cada vacante decenas de candidatos muy cualificados que las empresas desean cubrir. ¿No podrían aumentar
sus beneficios pagando menos?

Una posibilidad es que, pagando buenos salarios, las empresas crean un vínculo que contribuye a que los trabajadores
sean leales.[8] Un empleado que sólo cobra lo que se suele pagar
tiene pocos motivos para preocuparse por un despido, pues,
en mercados de trabajo perfectamente competitivos, es más o
menos fácil conseguir un empleo remunerado con un salario
corriente. Pero no es fácil obtener un empleo remunerado por
encima de la media. Por eso, los trabajadores afortunados tienen un gran incentivo económico para hacer lo posible por
conservarlo. Concretamente, es mucho menos probable que
deje de hacer su trabajo, a diferencia del trabajador que sólo
percibe el salario habitual. Si el incentivo para no incurrir en
negligencia es lo bastante fuerte, la empresa puede continuar
siendo rentable a pesar de soportar el coste de los salarios elevados.

*¿Por qué la mayoría de las empresas comprueban el currículum
vitae antes de hacer una oferta de trabajo mientras
que, normalmente, los centros que imparten cursos de posgrado
en administración de empresas lo comprueban después
de que el candidato haya sido admitido?* (Okwu Njoku)

Las grandes sociedades suelen contratar empresas privadas
para realizar la comprobación de las candidaturas antes de ha-

cer una oferta de trabajo. Asimismo, muchos centros docentes comprueban el currículum de los admitidos en los cursos de posgrado. Sin embargo, a diferencia de las empresas, dichos centros suelen efectuar estas comprobaciones después de haber concedido la plaza al candidato. ¿Por qué las escuelas de negocios no investigan a los candidatos antes de decidir si los admiten en sus cursos de administración de empresas?

Podría aducirse que el coste de equivocarse al contratar un empleado es mucho mayor que el coste de equivocarse al elegir un candidato para un curso de administración de empresas. Pero, si es así, ¿por qué los centros que imparten estos cursos se gastan tanto dinero en comprobar los currículos?

El proceso de selección para un curso de posgrado es diferente al proceso de selección para un puesto en una gran empresa. Quienes solicitan una plaza en un curso de posgrado suelen enviar solicitudes a más de diez centros a la vez: tres o cuatro a escuelas relativamente inalcanzables, media docena a escuelas que con bastante probabilidad los admitarán y dos a escuelas prácticamente seguras. Por eso, la mayoría de los centros cuentan con que un porcentaje alto de los candidatos admitidos se van a matricular en otro centro. Es posible que quienes solicitan un puesto en una gran empresa envíen solicitudes a varias empresas más, pero, a medida que avanzan los procesos de selección, es improbable que puedan seguir aspirando seriamente a más de uno o dos puestos. Comprobar currículos es caro. Las escuelas de negocios que efectúan estas comprobaciones suelen esperar a disponer de una prueba razonable—por ejemplo un cheque por el importe de la señal—de que el candidato admitido tiene la intención de matricularse.

En la mayoría de los trabajos, los empleados tienen la obligación de cumplir un horario semanal a cambio de un salario fijo que acuerdan previamente con sus empleadores. Sin embargo, en algunos empleos los trabajadores cobran cuando venden sus servicios directamente al público. Los dos ejemplos siguientes muestran el tipo de decisiones a que se enfrentan quienes realizan estos trabajos.

¿Por qué los músicos independientes, sobre todo los de más talento, están a favor de los programas que permiten intercambiar música, mientras que los artistas consagrados suelen estar en contra?
(Kelly Bock, Chris Frank)

Cuando en 1999 Napster sacó en Internet el primer programa de intercambio de archivos musicales,[9] algunos músicos de renombre como Madonna y Metallica lo censuraron inmediatamente. En cambio, muchos músicos independientes que aspiraban a la fama se manifestaron a favor del intercambio de archivos. ¿Por qué los músicos independientes tienen tanto interés en que sus canciones circulen?

Dado que una gran parte de los ingresos de las estrellas consagradas procede de la venta de CD, no es extraño que muchas de ellas se opongan a que los consumidores puedan conseguir su música de forma gratuita. Pero los incentivos de los músicos independientes son muy distintos. Éstos nunca llegarán a ganar cantidades importantes de dinero vendiendo CD a menos que creen primero una amplia afición en su zona. Como se cuentan por decenas los miles de grupos independientes que luchan por realizar un número limitado de actuaciones, las probabilidades de llegar incluso a ese nivel de éxito son escasas. Es cierto que un grupo suficientemente bueno puede contar con que, al cabo de los años, llegará a ser conocido en el mercado musical de su localidad. Pero lo realmente difícil ha sido siempre saltar de la fama local a la regional y, al parecer, el intercambio de archivos ha hecho que este salto se base más en el mérito. Dado que, hoy en día, los aficionados locales pueden enviar canciones por correo electrónico a los amigos que viven en ciudades cercanas, es más probable que los mejores grupos logren tocar fuera de su mercado de origen.

Incluso aunque su música pueda conseguirse gratis en Internet, un grupo independiente que llega a ser conocido a escala regional puede esperar obtener unos ingresos considerables de la venta de CD. Los aficionados acérrimos que no tienen ningún problema en descargar música de los artistas contratados por las grandes discográficas suelen comprar CD de sus grupos independientes favoritos.

En resumen, las posturas de los difentes artistas frente al intercambio de archivos son razonables desde el punto de vista económico. A la larga, las estrellas consagradas salen perdiendo y los músicos que aspiran a la fama, sobre todo los mejores, salen ganando.

¿Por qué los taxistas terminan antes la jornada los días de lluvia?
(Linda Babcock, Colin Camerer, George Loewenstein
y Richard Thaler)

En muchas ciudades no se tarda casi nada en encontrar un taxi cuando hace buen tiempo. Sin embargo, cuando llueve, a la gente le cuesta mucho más conseguirlo. Una razón clara es que muchas personas recorren a pie distancias cortas cuando hace buen tiempo, pero prefieren coger un taxi cuando llueve. Por eso, las flotas de taxis suelen estar más ocupadas los días de lluvia. Pero, además, la oferta de taxis disminuye porque los taxistas trabajan menos horas los días de lluvia. ¿Por qué razón?

Según una encuesta reciente, la razón es que muchos taxistas trabajan hasta alcanzar un objetivo diario de ingresos.[10] Cuando hace sol, tienen que pasar gran parte del día circulando por las calles en busca de clientes y, por eso, les lleva más tiempo alcanzar el objetivo. Cuando llueve, lo pueden alcanzar más rápido porque suelen estar ocupados casi todo el tiempo.

Foto de Chris Frank

Terminando antes cuando llueve, los taxistas desperdician los días más lucrativos.

Terminar la jornada antes los días de lluvia es justo lo contrario de lo que sus incentivos económicos parecen propiciar: el coste de oportunidad de terminar una hora antes es mucho más bajo los días de sol que los días de lluvia. Si su objetivo fuese alcanzar un determinado nivel de ingresos en un periodo más largo—por ejemplo un mes—trabajando el menor número de horas posible, los taxistas deberían trabajar todo el tiempo que pudiesen los días de lluvia y tomarse más tiempo libre los días de sol.

A menos que nuestro coste de oportunidad sea nulo, cortar el césped o plancharnos las camisas tiene un coste para nosotros. Tanto las personas como las empresas se ven obligadas a decidir qué tareas van a realizar ellas mismas y qué tareas van a encargar a terceros. Los ejemplos siguientes ponen de relieve estas decisiones entre hacer o comprar en varios contextos.

¿Por qué es ahora más habitual recurrir a un mecánico en lugar de cambiar uno mismo una rueda pinchada? (Timothy Alder)

Recientemente, un estudiante preguntó a dieciséis miembros de su gran familia si sabían cambiar una rueda pinchada. Nueve dijeron que no y, de entre los siete que respondieron afirmativamente, algunos reconocieron que nunca lo habían hecho. Además, podía observarse claramente una regularidad en la distribución de las respuestas: los nueve que dijeron que no sabían cambiar una rueda pinchada eran más jóvenes que los siete que creían que sí sabían hacerlo. ¿Por qué parece que se está perdiendo la capacidad de cambiar ruedas pinchadas?

Como siempre, el economista naturalista intenta responder a estas preguntas estudiando cambios en los costes y beneficios correspondientes. El coste de aprender a cambiar una rueda pinchada no parece haber variado sustancialmente en la última generación. Si acaso, puede haber disminuido ligeramente debido a las mejoras en el diseño de los gatos que se utilizan para levantar las ruedas del suelo.

Sin embargo, se han producido variaciones importantes en los beneficios de aprender a cambiar una rueda pinchada. Una es que la mejora en el diseño de los neumáticos ha hecho que las ruedas se pinchen mucho menos que antes. Hoy en día, muchos coches disponen de ruedas que pueden rodar después de un pinchazo, las cuales permiten conducir un coche sin peligro cuando la presión de las ruedas es muy baja. Otra variación significativa es que, hoy en día, la mayoría de la gente lleva un teléfono móvil cuando conduce y puede llamar a un servicio de asistencia en carretera incluso aunque se encuentre en un lugar apartado.

En ambos casos se aprecia que los beneficios de saber cambiar una rueda pinchada se han reducido. La mejora de las ruedas ha hecho menos probable que se necesite este conocimiento y, aunque se produzca un pinchazo, pedir ayuda es más fácil. A consecuencia de estas variaciones, parece que muchos conductores jóvenes han decidido que el beneficio de saber cambiar una rueda pinchada ya no supera el coste.

¿Por qué las empresas contratan temporalmente consultores a precios elevados en lugar de contratar directivos a tiempo completo con salarios mucho más bajos? (James Balet)

Cuando las empresas contratan los servicios de las empresas de consultoría, tienen que pagar, además de las horas trabajadas por los consultores, los cuantiosos costes indirectos que cobran las empresas de este sector. Por ejemplo, algunas de ellas cobran unos gastos de tres dólares por cada dólar que pagan a los consultores en concepto de salarios. ¿Por qué las empresas clientes no ahorran dinero contratando directamente más gestores propios?

Una explicación posible es que los servicios de consultoría de negocio son similares a los costosos generadores que los suministradores de energía eléctrica utilizan para hacer frente a los momentos de máximo consumo. Las centrales producen gran parte de la energía con generadores de carga básica que, aunque cuestan caros, tienen un coste de funcionamiento relativamente bajo. No es rentable satisfacer la demanda de corta duración con estos equipos tan caros porque estarían ociosos casi todo el tiempo. Por eso, las centrales cubren los aumentos repentinos de la demanda con generadores especiales que tienen un coste de funcionamiento más alto, pero un precio más bajo que los equipos de carga básica.[11]

Del mismo modo, la demanda de servicios de gestión de una compañía no es constante. Por eso, a la mayoría de las empresas les parece razonable contratar directivos a tiempo completo para realizar gran parte de las tareas cotidianas de dirección y a consultores de negocio para cubrir necesidades puntuales durante periodos de tiempo reducidos. Es cierto que una hora de consultoría cuesta mucho más que una hora de trabajo de un directivo de la casa. No obstante, si las puntas de demanda de servicios de dirección son lo bastante breves, puede resultar más barato encargar muchos de esos servicios a consultores caros. Al fin y al cabo, la alternativa sería tener en plantilla un número adicional de directivos que estarían ociosos casi todo el tiempo.

Otra posibilidad es que las compañías están dispuestas a pagar precios elevados por los consultores de negocio porque saben que es más fácil poner en marcha estrategias empresariales controvertidas si quienes las proponen son consejeros externos de prestigio. Por ejemplo, es posible que una empresa sepa que las malas previsiones de venta aconsejan despedir a una parte del personal, pero tema que esta medida pueda afectar a la moral de los empleados que se quedan. En esos casos, puede resultar más fácil decir a los trabajadores que los despidos no nacen de una propuesta de la dirección, sino de una recomendación de McKinsey, por ejemplo.

¿Por qué una empresa eléctrica contrata en exclusiva un abogado externo a un precio elevado cuando podría tenerlo en plantilla por menos de la mitad de lo que paga por él?

Una empresa que suministra energía eléctrica en el norte del estado de Nueva York paga al año unos honorarios de más de un millón de dólares a un despacho por disponer en exclusiva de su abogado de mayor categoría. Dicho despacho paga a este abogado un salario anual de menos de 500.000 dólares. ¿Por qué la eléctrica no se ahorra medio millón de dólares al año contratando directamente al abogado?

Dado que las eléctricas son empresas que desarrollan su actividad en mercados regulados, disponen de una plantilla permanente de abogados que gestionan los casos ante los organismos reguladores. Como la mayoría de estos casos son meros trámites, los abogados de la empresa que se ocupan de ellos suelen ganar menos de 100.000 dólares al año. Sin embargo, una pequeña parte de los procesos legales de las compañías eléctricas tienen consecuencias económicas importantes. En estos procesos, una pequeña diferencia en la habilidad de un abogado puede suponer una diferencia de millones de dólares en los dividendos anuales de los accionistas. Por eso, a la eléctrica le compensa ampliamente contratar a los mejores abogados para supervisar estos casos, aunque tenga que pagarles salarios exorbitantes.

Es inevitable que, si la empresa eléctrica incluyese en su plantilla un abogado con un salario anual de 500.000 dólares, los abogados que ganan menos pidieran aumentos de sueldo.[12] Teniendo en cuenta el coste de atender a estas peticiones, puede resultar más barato pagar a un abogado externo un millón de dólares.

El último ejemplo de este capítulo pone de manifiesto que la forma en que los profesionales cobran sus servicios puede influir en el tipo de recomendaciones que hacen.

¿Por qué a un paciente con un dolor en la rodilla es más probable que le hagan una resonancia magnética por imágenes (RMI) si está cubierto por un seguro médico convencional que si pertenece a una organización de mantenimiento de la salud (HMO)?*

Los médicos que atienden a pacientes cubiertos por seguros médicos convencionales cobran por cada servicio que prestan una tarifa prefijada. Cuantos más servicios presten, más cobran.

A diferencia de estos seguros, la típica HMO está formada por un conjunto de médicos que cobran a cada paciente una cuota fija anual. A cambio, los médicos se comprometen a pres-

---

* En inglés, *Health Maintenance Organization*. (*N. del t.*)

tar todos los servicios que consideren necesarios para dar una atención óptima a sus pacientes. Según los contratos de HMO, los médicos perciben por cada paciente la misma cantidad, con independencia de la cantidad de servicios que éste reciba.

Sin duda, la mayoría de los médicos intentan subvenir a las necesidades médicas de sus pacientes de la mejor manera posible, sea cual sea el contrato de seguro con el que trabajan. Pero siempre hay casos dudosos. Por ejemplo, un paciente con un dolor en la rodilla puede notar una mejora si, simplemente, deja descansar la articulación unas semanas. En cambio, una prueba RMI, cuyo precio es elevado, puede poner de manifiesto una lesión estructural que requiere una intervención quirúrgica. Inevitablemente, el hecho de que los médicos de las HMO corran con el gasto de la prueba—por no hablar de la operación subsiguiente, si es preciso intervenir—predispone a algunos de éstos a optar por esperar y ver qué ocurre.[13] Un médico que trata a un paciente cubierto por una póliza sanitaria convencional tiene un incentivo mucho mayor para pedir la prueba inmediatamente.

4
POR QUÉ ALGUNOS COMPRADORES PAGAN MÁS QUE OTROS

LA ECONOMÍA DEL DESCUENTO

Los mercados que más se ajustan a la ley del precio único son aquellos en los que la competencia es perfecta. A grandes rasgos, se trata de mercados, como el de la sal o el del oro, donde un elevado número de empresas venden productos muy tipificados. Pero son muchos los productos que no se comercializan en mercados de este tipo. Por ejemplo, aunque las películas de un género determinado parezcan intercambiables, las proyecciones de una ciudad no son productos normalizados. La diversa situación de las salas y las diferencias de horarios hacen que cada sesión sea única, al menos en algunos aspectos. Pocos espectadores considerarían *Casablanca* un sustituto perfecto de *Scary Movie VIII*.

Puesto que la ley del precio único no rige en el mercado de las sesiones de cine, a los economistas no les sorprende que no todas las entradas se vendan al mismo precio. La primera sesión de una película, por ejemplo, suele costar menos que la última, porque son menos las personas que puedan ir al cine por la tarde que por la noche.

Asimismo, los dueños de las salas ofrecen descuentos a determinados grupos de personas—estudiantes, mayores de 65 años...—porque su consumo se considera más sensible al precio. A diferencia del oro o de la sal, las entradas de cine no pueden revenderse con facilidad. Un joven no puede comprar una entrada a precio de estudiante y obtener un beneficio revendiéndola a un adulto, porque el descuento sólo vale para clientes con carné de estudiante. Tratándose de una experien-

EL ECONOMISTA NATURALISTA

cia y no de un producto tangible, la posibilidad de arbitraje necesariamente es limitada. Por ejemplo, un estudiante no puede ver una película y, luego, intentar vender esta experiencia a un adulto.

En cambio, en los mercados de productos tangibles, la posibilidad de arbitraje—especialmente la reventa de productos caros—dificulta el que los vendedores, aunque ejerzan un monopolio, cobren más a unos compradores y menos a otros. Por ejemplo, para las mujeres que sólo calzan zapatos de Manolo Blahnik, este diseñador es un monopolista puro. Aun así, la posibilidad de que los compradores revendan sus zapatos evita que esta marca ajuste libremente los precios a lo que cada individuo está dispuesto a pagar. Del mismo modo, a los dueños de las salas les resultaría difícil cobrar a los adultos 5 dólares por las palomitas y, a los estudiantes, sólo 2 dólares, pues nada impide que los estudiantes compren palomitas al precio reducido y se lucren revendiéndolas a los adultos.

Si bien la posibilidad de arbitraje es un obstáculo para cobrar precios diferentes por el mismo producto, los vendedores han desarrollado métodos ingeniosos para sortearlo. Muchos de esos trucos tienen algo en común: el vendedor permite al comprador beneficiarse del descuento sólo si éste está dispuesto a vencer algún tipo de dificultad.[1] El ejemplo típico son las rebajas de temporada. Quienes se toman la molestia de informarse de las fechas de las rebajas y de comprar justo en ese intervalo de tiempo pueden conseguir el descuento. Los compradores que no quieren molestarse en hacerlo pagan más.

Cuando el lector haya visto unos cuantos ejemplos del método de la barrera para vender a precios diferentes, encontrará muy pocos productos cuyos vendedores no recurren a él de un modo u otro. Hace unos años, viajé a Minneapolis para asistir a un congreso. Antes de salir, hice una reserva en un hotel en el que la habitación costaba al día lo que hoy serían unos 200 dólares. Cuando estaba registrándome, vi un cartel detrás del recepcionista que decía: «Pregunte por nuestras tarifas especiales». Movido por la curiosidad, pregunté y se me informó de que podía quedarme con la habitación por 150 dólares.

La barrera que tuve que superar para tener derecho al descuento consistía simplemente en hacer una pregunta. Teniendo en cuenta lo fácil que había sido, es normal que me extrañase que algún cliente no preguntara. Sin embargo, cuando inquirí al recepcionista acerca de esta cuestión, éste me dijo que la mayoría de la gente no se tomaba la molestia.

Una barrera para acceder a los descuentos es efectiva para el vendedor si, a los compradores que son extremadamente sensibles al precio (y que probablemente no comprarían el producto si no estuviese rebajado), la barrera les resulta fácil de franquear, mientras que, a los que no lo son, les resulta difícil o, simplemente, no les compensa la molestia. En mi caso, el cartel que incitaba a los clientes a preguntar por las tarifas especiales acabó costándole al hotel 50 dólares. Aun así, es probable que funcionase con algunos huéspedes que no hubiesen reservado con antelación. A ciertas personas, normalmente no muy sensibles al precio, les habría parecido indecoroso preguntar por las tarifas especiales. A otras, por ejemplo a quienes viajan por cuenta de sus empresas con los gastos pagados, quizá les habría dado igual.

Los dos primeros ejemplos de este capítulo muestran procedimientos concretos para establecer unos descuentos con barreras.

¿Por qué son exorbitantes los precios de los minibares de los hoteles?
(Kem Wilson)

Si un huésped del hotel Parker Meridian de Manhattan quiere la botella de litro de agua mineral marca Evian que hay en el minibar de su habitación, tiene que pagar por ella cuatro dólares. No obstante, si está dispuesto a ir caminando hasta la tienda Duane Reade de la esquina, la puede comprar por noventa y nueve céntimos. ¿Por qué son tan grandes los márgenes de los productos de los minibares de los hoteles?

Un minorista especializado puede vender casi cualquier artículo por un precio inferior al que tiene que cobrar cualquier vendedor que no esté especializado en ese tipo de artículos. El comercio minorista tiene un gran volumen de ventas y puede beneficiarse de las ventajas de la especialización. Eso podría explicar el hecho de que un hotel tenga que cobrar hasta dos dólares para cubrir el coste de vender una botella de agua que una tienda puede vender por un dólar. Pero, de ningún modo, el coste para el hotel llegaría a ser cuatro veces superior al coste para la tienda.

Es más admisible suponer que los precios de los minibares son tan altos porque la venta de estos artículos, indirectamente, permite ofrecer descuentos a los clientes sensibles al precio. Para lograr un alto nivel de ocupación, los hoteles se ven obligados a ofrecer las habitaciones a precios competitivos. Por ejemplo, muchos hoteles ofrecen tarifas reducidas a clientes que reservan por medio de Internet, lo cual encaja con el hecho comprobado de que los compradores de Internet son más sensibles al precio que otros compradores.

Dado que el negocio hotelero es fuertemente competitivo, las empresas del sector no disfrutan de márgenes elevados. A fin de rebajar lo más posible las tarifas de los clientes sensibles al precio, los hoteles tienen que encontrar alguna manera de obtener ingresos adicionales de otros clientes. Los hoteles saben perfectamente que ofrecer los artículos del minibar a precios excesivos impide que muchos huéspedes cojan artículos del minibar. Pero también saben que los clientes menos sensibles al precio no van a reducir su consumo aunque el precio sea elevado. Gracias a los beneficios adicionales que proporcionan estos huéspedes, los hoteles pueden hacer mayores descuentos en las tarifas de las habitaciones. En este caso, la barrera para acceder al descuento consiste en renunciar a la comodidad de consumir artículos del minibar. Este inconveniente permite a los clientes beneficiarse de las tarifas reducidas que los precios exorbitantes del minibar hacen posibles.

¿Por qué es más caro hacer una transferencia bancaria que enviar dinero por correo en un cheque? (Selin Doganeli)

Si una persona nos debe 10.000 dólares, tiene al menos dos alternativas para enviar el dinero de su banco al nuestro. Puede enviarnos un cheque y nuestro banco lo ingresará en nuestra cuenta sin cobrarnos nada. O bien, puede dar a su banco la orden de que transfiera el dinero a nuestra cuenta, en cuyo caso nuestro banco nos cobra unos gastos, normalmente 15 dólares, si se trata de una transferencia dentro del territorio estadounidense. ¿Por qué nuestro banco cobra por recibir una transferencia electrónica a pesar de que tramitar el ingreso de un cheque en nuestra cuenta es, de hecho, más caro?

Tramitar un cheque implica manejar, escanear y, a menudo, enviar documentos en papel. Pueden pasar algunos días antes de que se produzca el ingreso en cuenta. En cambio, en el caso de una transferencia bancaria, todo transcurre casi a la velocidad de la luz. El empleado de un banco teclea la información correspondiente en un ordenador y las cantidades, tanto en la cuenta del emisor como en la del receptor, se ajustan instantáneamente.

Los bancos cobran más por las transferencias porque los clientes que eligen enviar el dinero de esa forma manifiestan con su elección que valoran mucho la velocidad de la transacción. Normalmente se envía dinero en un cheque cuando la cantidad es pequeña y, en consecuencia, el tiempo que tarda el dinero en llegar no suele importar mucho. En cambio, las transferencias bancarias se utilizan para cantidades grandes. A menudo, se trata de fondos que se necesitan urgentemente para llevar a cabo transacciones comerciales. Dado que a los consumidores les importa que dichas transacciones se efectúen rápidamente, los bancos han descubierto que pueden cobrar por ellas gastos considerables.

Si queremos ahorrarnos estos gastos, la dificultad que tenemos que vencer consiste en renunciar a gastar el dinero hasta que nos ingresen el cheque.

AUMENTOS DE EFICIENCIA ORIGINADOS POR LOS DESCUENTOS

Imagine que a todos los alumnos de una clase de tercero de primaria se les dice que salgan fuera y formen una fila con el más alto delante, el segundo más alto detrás de él y así hasta el de menor estatura. Imagine que, a continuación, los alumnos van entrando de nuevo en la clase, del primero al último de la fila, uno cada cinco minutos. A medida que se llena la clase, ¿qué ocurre con la altura media de los alumnos cada vez que entra uno? Dado que cada alumno que entra es más bajo que los que ya están dentro, sin duda la altura media de los que están en clase disminuiría cada vez.

Este fenómeno se parece a un modelo de variación de costes que tiene consecuencias importantes en la forma de fijar los precios en el mercado. En muchos procesos de producción, el coste marginal (que, como vimos, es el término con el que los economistas designan el coste de producir una unidad adicional) es menor que el coste medio, es decir, el coste total del fabricante dividido por el total de unidades producidas. Esta estructura de costes es característica de los procesos productivos en los que se dice que se dan «economías de escala». En dichos procesos, el coste medio va bajando a medida que aumenta el total de unidades producidas, igual que disminuye la altura media cada vez que llega un estudiante más bajo que los anteriores.

Para sobrevivir, los fabricantes, tarde o temprano, deben vender su producción a un precio que, de media, sea como mínimo igual al coste medio de producción. (Si el precio medio de las unidades vendidas fuera inferior al coste medio, sufrirían pérdidas.) No obstante, a los fabricantes les suele convenir vender *parte* de su producción a precios inferiores al coste medio. El beneficio de un fabricante aumenta si vende una unidad más a un precio superior al coste marginal, siempre y cuando esto no implique rebajar los precios de las unidades que venden a otros compradores.

El método de los descuentos asociados a barreras es una herramienta indispensable para quienes venden productos en cuyos procesos se dan economías de escala. Gracias a que hacen descuentos para compradores sensibles al precio sin bajar los precios de los demás compradores, pueden aumentar sus ventas y, de este modo, reducir su coste medio de producción.[2]

Establecer un puente aéreo entre dos ciudades es un proceso de producción con economías de escala. El coste medio va disminuyendo a medida que aumenta el número de pasajeros. Uno de los motivos de esta disminución es que el coste medio por asiento en un vuelo es considerablemente menor en los aviones grandes que en los pequeños. Por ejemplo, el coste medio por asiento en un vuelo ordinario dentro de Estados Unidos es un 25 por 100 inferior en el Boeing 737-900ER, con 180 plazas, que en el 737-600, con 110 plazas. Otro factor que reduce el coste por asiento y kilómetro en los aviones grandes es que muchos de los costes de un vuelo son fijos, es decir, independientes del número de pasajeros. Entre ellos se encuentran los costes de la puerta de embarque y los de las pistas de aterrizaje y despegue, siempre escasas en los aeropuertos con mucho tráfico aéreo. En consecuencia, si una aerolínea logra llevar más pasajeros en sus vuelos, reduce el coste medio de transportar a cada pasajero.

Por medio de los descuentos, los vendedores pueden conseguir más clientes. Una de las barreras para descuentos más efectivas que jamás se han ideado es el requisito de pasar la noche del sábado para acceder a las tarifas de máximo ahorro de las aerolíneas. Hace mucho que los directores de ventas de las aerolíneas saben que quienes viajan por motivos profesionales son mucho menos sensibles al precio de los vuelos que quienes viajan por placer. Además, es habitual que aquéllos quieran pasar el fin de semana con su familia. En cambio, quienes viajan por placer casi siempre permanecen al menos un fin de semana en su lugar de destino. Con este requisito de pasar el sábado por la noche para obtener los descuentos máximos, las aerolíneas han dado con una barrera casi perfecta: pocos pasajeros que viajan por motivos profesionales están dispuestos a cumplir este requisito y la mayoría de los que viajan por placer lo cumplen sin dificultad.

A menudo, quienes viajan por motivo de trabajo se quejan porque pagan más que el turista del asiento de al lado. Sin embargo, el hecho de que las aerolíneas saquen partido a la barrera de la estancia del sábado puede beneficiar incluso a los que viajan por motivos profesionales.

En el mercado del transporte aéreo, la posibilidad de elegir una fecha adecuada es algo que quienes viajan por motivo de trabajo valoran especialmente. Pero, en el mercado de los puentes aéreos entre dos ciudades cualesquiera, el volumen de pasajeros potenciales es limitado. Eso hace que las aerolíneas que quieran establecer un servicio continuo y, a la vez, rentable, tengan que utilizar aviones más pequeños con un coste medio por asiento más elevado. Normalmente, quienes viajan por placer prefieren renunciar a que haya vuelos frecuentes si, con ello, consiguen billetes más baratos debido a que los aviones son más grandes.

Gracias a la barrera de la estancia del sábado por la noche, los dos grupos de pasajeros están mejor que si las compañías aéreas cobrasen las mismas tarifas a todos. Esta restricción atrae a más pasajeros que viajan por placer y, de este modo, permite la utilización de aviones más grandes y rentables de lo que habría sido posible sin esta barrera. El consiguiente ahorro reduce el sobreprecio necesario para mantener el servicio continuo que piden quienes viajan por motivo de trabajo. Al mismo tiempo, quienes viajan por placer se benefician de que haya vuelos frecuentes al mismo precio que antes tenían que pagar por los vuelos chárter en jumbo.

¿Es injusto que quienes viajan por motivos profesionales paguen más por los billetes sólo porque no cumplen el requisito de quedarse en su destino el sábado por la noche? Si estos pasajeros no demandasen vuelos frecuentes, las aerolíneas podrían volar con aviones más grandes y rentables que los que utilizan ahora. Por tanto, las tarifas altas que pagan estos viajeros reflejan en parte los altos costes por asiento de los aviones pequeños necesarios para cubrir esta demanda.

Por supuesto, el descuento asociado a esta barrera no reparte los costes de la aerolínea de forma completamente equitativa. Por ejemplo, algunos turistas demandan un servicio continuo y estarían dispuestos a pagar por él, pero se ahorran el sobreprecio correspondiente porque cumplen el requisito de la estancia del sábado. Asimismo, algunos pasajeros que viajan por motivo de trabajo estarían dispuestos a renunciar a que haya tantos vuelos si eso significase pagar menos. Sin embargo, en conjunto parece que el sistema de precios que aplican actualmente las aerolíneas es más o menos justo.

Los ejemplos siguientes indagan las estrategias de precios que permiten que fabricantes y consumidores se repartan el ahorro de costes a que dan lugar las economías de escala.

¿Por qué las tiendas de electrodomésticos abollan intencionadamente los lados de sus hornos y neveras?

Una pequeña parte de los electrodomésticos sufren ligeros desperfectos cuando los fabricantes los envían a los minoristas. En lugar de devolverlos a la fábrica para su reparación, las tiendas han descubierto que es más sencillo venderlos a un

Dibujo de Mick Stevens

En el saldo anual de abolladuras y rasguños suele haber falta de existencias.

precio inferior. Sears Roebuck fue pionero en el saldo de productos deteriorados.

Poco después, corrió la voz de que, en los días previos al saldo, Sears ordenaba a sus empleados abollar a martillazos artículos que no habían sufrido deterioro alguno. ¿Se trataba de una leyenda urbana más? ¿O acaso un minorista que quisiera aumentar sus beneficios podía tener un buen motivo económico para dañar deliberadamente parte de sus mercancías?

Como sabemos, el objetivo de una estrategia de descuentos es bajar el precio a clientes potenciales que no comprarían al precio de catálogo y, al mismo tiempo, evitar en la medida de lo posible que los demás compradores se beneficien de la rebaja. Tal vez de forma casual, las tiendas de electrodomésticos han descubierto que una nevera con un ligero rasguño constituye una barrera excelente para separar clientes potenciales. Para beneficiarse de un saldo de productos deteriorados, una compradora debe vencer a la vez tres dificultades: molestarse en averiguar cuándo se efectúa la venta, hacer un hueco en su agenda para acudir ese día y estar dispuesta a asumir que su nevera tiene una abolladura, si bien es cierto que el «bollo» dará a la pared y no se verá una vez que el aparato esté colocado. Pocos derrochadores querrán saltar ni siquiera una de estas barreras. Pero, como pudo comprobar Sears de inmediato, un gran número de compradores sensibles al precio las superaron sin ninguna dificultad.

Por eso, no es un disparate pensar que a una tienda de electrodomésticos con escasas existencias de artículos deteriorados le salga rentable enviar al almacén a un empleado con un martillo el día antes de una venta anual de productos con desperfectos. Al aumentar las ventas de electrodomésticos, esta práctica reduce el coste medio por artículo y, con ello, hace posible que los precios bajen para todos los consumidores.

¿Por qué Apple vende los ordenadores portátiles de color negro por 150 dólares más que los blancos de iguales características?
(Chris Frank)

Según los precios que figuraban el 1 de julio de 2006 en la página Web de Apple, el portátil MacBook de 33 centímetros costaba 1.299 dólares si tenía la habitual caja blanca. En cambio, el MacBook de 33 centímetros con caja negra figuraba a un precio de 1.499 dólares. No obstante, si uno se detenía a comparar las características de ambos modelos, descubría que el negro estaba provisto de un disco duro de ochenta gigabytes, veinte más que el disco duro que lleva normalmente el blanco. Por ahora, no hay motivo de perplejidad: el aparato mejor cuesta más. Sin embargo, si uno se fijaba, veía que también era posible comprar el modelo blanco con un disco duro de ochenta gigabytes. ¿A cuánto ascendía el sobreprecio de esta opción? Sólo a 50 dólares. Al final, parece que sí tenemos un enigma que resolver. ¿Por qué Apple vendía por 150 dólares más el ordenador negro, cuyo coste de producción es, en esencia, el mismo que el del ordenador blanco de iguales características?

En el momento de fijar los precios, en Apple tuvo que influir lo que le ocurrió en otoño de 2005 cuando sacó al mercado la versión de color negro de su famoso iPod. Aunque costaba igual y tenía las mismas características que el habitual iPod blanco, la demanda del modelo negro hizo que se agotara en seguida, cuando Apple disponía aún de existencias del modelo blanco. La versión en negro llamaba la atención por su novedad y atrajo a muchos compradores. Fijando un mismo precio, Apple desperdició una oportunidad de ganar dinero servida en bandeja. Cuando, en primavera de 2006, la empresa sacó al mercado el modelo MacBook, parece que había aprendido la lección. Cobró más por la versión de color negro porque, sencillamente, podía hacerlo.

¿Es injusto que los portátiles negros cuesten más caros? Al igual que el coste medio de los servicios de transporte aéreo, el coste medio de producir ordenadores disminuye de forma notable con el número de unidades que fabrica una empresa. Esto se debe, en gran medida, a que los costes de investigación y desarrollo imputables a una línea de producto no varían por mucho que aumente el número de unidades producidas. Por eso, aunque una empresa incremente su beneficio vendiendo a un precio inferior al coste medio, pero superior al coste marginal, tiene que vender algunas unidades por un precio superior al coste medio para cubrir los costes de investigación y desarrollo.

En un mundo justo, aquellos que más valoran las novedades que introducen los programas de investigación y desarrollo pagarían una parte más que proporcional de lo que cuestan. ¿Quiénes son esas personas? Los compradores menos sensibles al precio vienen a ser los mismos que los que están dispuestos a pagar más por las mejoras del nuevo aparato. Dichos programas benefician a todos los compradores pero, sobre todo, a quienes están dispuestos a pagar más por las características nuevas. El sobreprecio de los portátiles negros es un procedimiento rudimentario para identificar a esos compradores. Dado que esta barrera funciona, quienes compran la versión negra tienen pocos motivos para quejarse.

¿Por qué cuestan mucho más baratos los conciertos
si se compran abonos? (Michael Li)

La Orquesta Sinfónica de Chicago, como la mayoría de las orquestas prestigiosas, vende entradas para un concierto y abonos para varios. Como la palabra sugiere, los abonos consisten en lotes de entradas para asistir a un conjunto de conciertos. Estos abonos ofrecen un 35 por 100 de descuento sobre el precio de las entradas para conciertos aislados. ¿Por qué cuestan mucho más baratos los abonos?

Esta manera de fijar precios permite a la orquesta repartir los costes fijos de cada concierto entre más espectadores. Supongamos que la Orquesta Sinfónica de Chicago programa un ciclo de dos conciertos. En el primero, la música es de Berlioz y Chaikovski y, en el segundo, de Bartok y Stravinski. El público potencial de estos conciertos está formado por cuatro grupos de igual número de espectadores. Los del primer grupo son aficionados al periodo romántico que están dispuestos a pagar hasta 40 dólares por la entrada del primer concierto y 20 por la entrada del segundo. Los espectadores del segundo grupo prefieren la música neoclásica y pagarían hasta 20 dólares por el primer concierto y 40 por el segundo. A los del tercer grupo les apasiona Chaikovki y pagarían hasta 45 dólares por el primer concierto pero, como máximo, 5 dólares por el segundo. Por último, los espectadores del cuarto grupo son incondicionales de Stravinski y pagarían hasta 45 dólares por el segundo concierto, pero sólo 5 dólares por el primero.

Dado este público potencial, lo mejor que puede hacer la Orquesta Sinfónica de Chicago si vendiese únicamente entradas individuales sería cobrar 40 dólares por cada una. A ese precio, los amantes de la música romántica y de la de Chaikovski acudirían sólo al primer concierto, mientras que los aficionados a la música neoclásica y a Stravinski asistirían sólo al segundo. Si cada grupo estuviese formado por cien personas, habría doscientas personas en cada concierto y los ingresos totales procedentes de la venta de entradas ascenderían a 16.000 dólares.

Supongamos ahora que la Orquesta Sinfónica de Chicago saca a la venta un abono para las dos sesiones. Entonces, lo más aconsejable sería que cobrase 45 dólares por las entradas individuales (5 dólares más que antes) y sólo 30 dólares (10 dólares menos que antes) por cada una de las entradas del abono. Con esta oferta, los amantes de Chaikovski irán sólo al primer concierto y los de Stravinski sólo al segundo, igual que antes. En cambio, mientras que los aficionados a la música romántica y a la neoclásica únicamente acudían a un concierto cuando sólo había entradas individuales, ahora asistirán a los dos conciertos. Por tanto, aunque los aficionados a la música romántica pagarán 10 dólares menos que antes por el primer concierto, su asistencia al segundo proporcionará a la Orquesta Sinfónica de Chicago una ganancia neta de 20. Igualmente, aunque los amantes de la música neoclásica pagarán 10 dólares menos que antes por el segundo concierto, dicha orquesta obtendrá 20 dólares netos por su asistencia al primero.

La mayoría de las orquestas tienen que conseguir cada año ingresos suficientes para sufragar los costes de los conciertos que organizan. La venta de abonos las ayuda a resolver ese problema. Si, de nuevo, suponemos que cada grupo consta de 100 personas, la Orquesta Sinfónica de Chicago cobraría un total de 21.000 dólares por las entradas, 5.000 más que antes. De ahí que sea razonable que ofrezcan lotes de entradas.

¿Por qué las aerolíneas cobran mucho más por los billetes comprados en el último minuto, mientras que los teatros de Broadway hacen lo contrario? (Gerasimos Efthimiatos)

Los aficionados al teatro que van por la tarde a la taquilla TKTS de Times Square de Nueva York pueden comprar entradas a mitad de precio para muchas de las obras de Broadway

Foto de June Marie Sobrito

Las personas cuyo tiempo tiene un coste de oportunidad elevado no suelen hacer cola para conseguir descuentos.

que se representan esa misma noche. En cambio, si alguien reserva un billete de avión el mismo día del vuelo tiene que pagar un sobreprecio importante que puede llegar a ser del 100 por 100. ¿A qué se debe esta diferencia?

Un asiento que está vacío cuando el avión despega o se levanta el telón significa una pérdida de ingresos irreversible. Tanto a las líneas aéreas como a los teatros les interesa mucho ocupar todos los asientos que puedan. Al mismo tiempo, ocupar un asiento a un precio rebajado suele significar perder la oportunidad de ocuparlo con alguien que habría estado dispuesto a pagar el importe total del billete o de la entrada. Por eso, como siempre, lo difícil en la gestión de las ventas es llenar todos los asientos posibles sin mermar demasiado el ingreso medio por asiento.

Como hemos visto en páginas anteriores, los directivos de ventas del sector del transporte aéreo han descubierto que los clientes que viajan por motivos profesionales cambian los vuelos en el último momento con más frecuencia que los turistas. Asimismo, se sabe que las decisiones relativas a los viajes de trabajo son menos sensibles a las tarifas de los billetes que las decisiones relativas a los viajes de placer. En consecuencia, la estrategia que han adoptado las aerolíneas consiste en cobrar el 100 por 100 del precio a quienes reservan en el último minuto (en gran medida, clientes que viajan por motivo de trabajo) y ofrecer descuentos a quienes reservan con mucha antelación (normalmente, pasajeros que viajan por placer).

El equilibrio de fuerzas es ligeramente diferente en el sector de las representaciones teatrales. Como en el sector del transporte aéreo, los clientes con mayor renta son menos sensibles al precio de las entradas que los clientes de menor renta. Sin embargo, los primeros no suelen comprar entradas en el último momento. Para comprar entradas a mitad de precio en la taquilla TKTS, los aficionados al teatro tienen que superar dos barreras. Una de ellas es hacer cola, a menudo durante una hora o más. Pocas personas de renta elevada están dispuestas a hacer cola sólo por ahorrarse unos cuantos dólares. La segunda y más importante es que sólo se venden entradas rebajadas para determinados espectáculos que, normalmente, no son los de mayor éxito. El tiempo de las personas con muchos ingresos tiene un coste de oportunidad elevado, por lo que éstas suelen preferir dedicar su valioso tiempo libre a ver sólo las representaciones que más les interesan. A los aficionados al teatro con ingresos bajos, mucho más sensibles al precio, estos dos obstáculos les resultan mucho más fáciles de vencer. Si no existiera la alternativa de conseguir entradas haciendo cola en la taquilla TKTS, quizá no verían ni un solo espectáculo de Broadway.

Aunque se dan diferencias notables entre estas dos barreras, ambas producen el efecto de ocupar más asientos—y, con ello, de reducir el coste medio por cliente—de los que se habrían ocupado sin ellas.

Obligar a los clientes a vencer un obstáculo para conseguir un descuento supone un derroche, en el sentido de que hay que realizar un esfuerzo para vencerlo. Sin embargo, en algunos casos la barrera del descuento consiste únicamente en requerir que los clientes dispongan de cierta información. Cuando éstos la tienen, pagan menos sin realizar esfuerzo alguno.

Si, en teoría, una «taza» contiene 22 centilitros,
¿por qué la taza de café más pequeña de la lista de precios
de Starbucks es la «Tall» («Alto»), cuya capacidad
es de 34 centilitros? (Jennifer Anderson)

Starbucks es el mayor proveedor mundial de café de alta calidad tostado por la propia empresa. Desde 1999, la carta de las cafeterías Starbucks contiene tres tamaños de café: «Tall» (34 centilitros), «Grande» (45 centilitros) y «Venti» (57 centilitros). Sin embargo, las tazas de café en Estados Unidos tienen normalmente una capacidad de 22 centilitros y pueden llegar a tener sólo 17. La propia receta de Starbucks dice: «Recomendamos dos cucharadas soperas de café molido por cada 17 centilitros de agua». Si es así, ¿por qué Starbucks no sirve tazas de café de tamaño normal?

En realidad, sí las sirve. Si un cliente pide un «Short» («Corto») al camarero que prepara las bebidas calientes, éste le servirá el café que el cliente desee en un recipiente convencional de 22 centilitros. Pero el Short no figura en la carta y muy pocos clientes saben que pueden pedirlo.

El Short es el café más barato que sirven las cafeterías Starbucks. Aunque un capuchino tamaño Short cuesta treinta céntimos menos que el Tall de 34 centilitros, contiene la misma cantidad de café exprés. Además, como tiene menos espuma de leche, su sabor es más intenso y, por eso, muchos amantes del café lo prefieren.

Esta manera encubierta de comercializar el Short convierte a este tamaño de taza en una forma de diferenciación de precios mediante una barrera.[3] Dicha barrera, que impide que los clientes no sensibles al precio se beneficien del descuento del Short, consiste en que, sencillamente, la mayoría de los clientes no saben que existe este tamaño. En casi todos los mercados, los clientes sensibles al precio se esfuerzan más que los demás por descubrir las gangas. Si usted es un comprador sensible al precio, es probable que al menos uno de sus amigos haya descubierto el Short de Starbucks y le haya hablado de él. Mientras tanto, los clientes menos sensibles al precio estarán satisfechos con su Venti de 57 centilitros.

No todas las diferenciaciones de precios se realizan mediante barreras de descuento. Por ejemplo, cuando un restaurante ofrece una rebaja del 50 por 100 a los clientes mayores de sesenta y cinco años, estos clientes no tienen que vencer ningún obstáculo para acceder a la oferta. Los economistas suelen llamar a este tipo de diferenciación de precios «segmentación pura del mercado», en este caso debida a que los mayores de edad, de media, disponen de ingresos menores que los adultos.

¿Por qué los billetes de ida y vuelta de Kansas City a Orlando son más baratos que los billetes de ida y vuelta de Orlando a Kansas City? (Karen Hittle)

Para un habitante de Kansas City, Missouri, que hubiese querido volar a Orlando, Florida, con salida el 15 de diciembre de 2006 y regreso una semana después, el billete de ida y vuelta más barato que habría podido encontrar en Expedia.com habría costado 240 dólares. Pero si, viviendo en Orlando, hubiese querido salir de Kansas City, el billete de ida y vuelta más barato para esas fechas habría costado 312 dólares. Los pasajeros que hicieron esos dos recorridos viajaron en los mismos aviones, consumieron la misma cantidad de combustible y disfrutaron (o carecieron) de los mismos servicios de a bordo. Entonces, ¿por qué tuvieron que pagar precios tan diferentes?

Normalmente, los pasajeros que salen de Kansas City con destino a Orlando están de vacaciones. Pueden ir a muchos sitios diferentes: Hawaii, Barbados, Cancún y un largo etcétera. Dado que los turistas pueden elegir entre muchos destinos, las aerolíneas tienen que competir duramente por este mercado. Teniendo en cuenta que los aviones grandes ahorran costes, a las compañías aéreas les interesa ocupar más asientos ofreciendo precios reducidos a los clientes que son más sensibles al precio, a saber, los turistas.

En cambio, los pasajeros que salen de Orlando con destino a Kansas City suelen tener motivos profesionales o familiares para viajar. En general, no cotejan destinos diferentes. Cuando los compradores disponen de menos alternativas, suelen ser menos sensibles al precio. Por eso pagan más los viajeros que salen de Orlando.

Los ejemplos siguientes analizan las circunstancias que pueden impulsar a los vendedores a ofrecer descuentos o mejoras en sus productos.

¿Por qué hay tantos restaurantes que permiten a los clientes volver a llenar el vaso sin pagar nada? (Mike Hedrick)

En los últimos años de su carrera, George Burns describió en una ocasión al dueño de un negocio que decía que perdía dinero con cada unidad vendida, pero que lo recuperaba gracias al volumen de ventas. Es obvio que una empresa que hiciese esto no sobreviviría mucho tiempo. Por eso, sorprende que sea tan habitual dejar que los clientes vuelvan a llenar el vaso gratis. ¿Cómo pueden los restaurantes ofrecer esto sin arruinarse?

La mayoría de los negocios venden muchos artículos. Para no quebrar, no necesitan cobrar por cada unidad vendida más de lo que les cuesta. Más bien, sus ingresos totales deben ser iguales o superiores al coste total de lo que han vendido. En consecuencia, si el precio de las entradas, postres y demás componentes de la carta de un restaurante incluyen un margen de beneficio suficiente, el establecimiento no tiene por qué arruinarse si deja a los clientes repetir bebida de forma gratuita.

Pero, ¿por qué iba a *querer* un restaurante que los clientes repitan gratis? En apariencia, esta práctica es contraria a la lógica de la competencia perfecta, que sostiene que las personas han de pagar el coste completo de los bienes o servicios adicionales que adquieren.

No obstante, la competencia nunca es perfecta. En el negocio de la restauración, igual que en muchos otros negocios, el coste medio por cliente servido disminuye con el número de clientes servidos. Esto significa que el coste medio de las comidas que sirve un restaurante es mayor que el coste marginal de una comida. Dado que el precio que cobra por cada comida debe estar por encima del coste marginal de dicha comida, un restaurante aumenta su beneficio si consigue atraer a más clientes.

Ahora, imaginemos una situación inicial en la que ningún restaurante deja que se vuelvan a llenar gratis los vasos. Si uno de ellos hiciese esta oferta, ¿qué ocurriría? Los comensales que quisiesen repetir bebida en ese restaurante pensarían que es una ganga. Se correría la voz y, al poco tiempo, el establecimiento tendría muchos más clientes que antes. Aunque estaría soportando un coste por cada bebida adicional, el importe de ésta sería extremadamente bajo.

Para que la medida funcione, el beneficio que obtiene el restaurante por las comidas adicionales que sirve debe exceder el coste de las tres bebidas que regala a sus clientes. Y, como es probable que el margen de beneficio de las comidas adicionales supere el coste de cada una de dichas bebidas, su beneficio total debe aumentar.

Al ver el éxito que tiene la oferta de este restaurante, los restaurantes de la competencia harían lo mismo y, a medida que se sumasen más restaurantes, iría disminuyendo la clientela del pionero. Si todos los restaurantes hicieran esta oferta, el volumen de negocio de cada restaurante apenas sería diferente del que tendrían si ninguno la hiciese. Y, dado que los márgenes de beneficio en el sector de la restauración suelen ser reducidos, parecería que la oferta de las bebidas adicionales gratuitas acarrearía pérdidas a muchos restaurantes.

De hecho, eso es lo que ocurriría si los precios de los platos se mantuviesen constantes a lo largo de este proceso. A causa de la oferta de bebidas gratis, las comidas estarían proporcionando a los clientes una mayor satisfacción que antes, pues ahora no pagan nada cada vez que llenan el vaso, mientras que antes eso mismo les costaba varios dólares. Aprovechando el mayor beneficio neto que obtienen los clientes, los restaurantes podrían subir los precios de los platos. Cuando hubiese pasado la tormenta, cabe esperar que los precios de las comidas hubieran subido ligeramente para compensar el coste de las bebidas adicionales gratuitas.

Por otro lado, hay que tener en cuenta que los restaurantes suelen cobrar alrededor de dos dólares por un concentrado de té frío o de refresco mezclado con agua carbonatada que les cuesta unos pocos céntimos. Para que el coste adicional fuese relevante, los clientes tendrían que llenar sus vasos incontables veces. Si sólo un 10 por 100 de los clientes pidiesen una bebida en lugar de agua para aprovechar la oferta, es casi seguro que el restaurante saldría ganando. Según este razonamiento, debería ser menos probable encontrar esta oferta en los restaurantes que sirven refrescos y té frío en latas que encontrarla en los demás y, de hecho, es así. Una vez más, la excepción confirma la regla.

¿Por qué los vídeos ofrecen tal volumen de prestaciones que el usuario medio, incluso en el caso de los aparatos más simples, no utiliza la mayoría de éstas?
(Deborah Bair)

Normalmente, quien compra un vídeo quiere un aparato con el que su familia pueda ver películas o grabar sus programas de televisión favoritos. Todos los modelos disponibles hoy en día permiten hacer eso. Pero, además, disponen de infinidad de prestaciones adicionales que la mayoría de los usuarios no utilizan nunca. Muchos aparatos, por ejemplo, introducen automáticamente una señal en el control de la cinta de vídeo al principio de cada programa que se graba de forma separada, lo cual permite «acceder a los diferentes programas apretando las teclas 1 a 9 del mando a distancia». Asimismo, casi todos los modelos permiten programar el aparato desde la pantalla mediante instrucciones en inglés, español o francés. Aunque es innegable que muchas de esas prestaciones son útiles, algunos compradores se quejan de que los aparatos son tan complicados que les resulta difícil usarlos. ¿Por qué los fabricantes no sacan al mercado aparatos más baratos y sencillos para estos compradores?

Si bien a algunos compradores no les aporta nada disponer de prestaciones adicionales en sus vídeos, a otros sí. Los fabricantes las incorporan para poder competir mejor por los clientes del último grupo. La mayoría de los costes imputables a una nueva prestación se deben a la investigación y desarrollo del producto y, por tanto, son fijos. Una vez que se ha incurrido en ellos, el coste marginal de añadir una prestación suele ser pequeño.

Por supuesto, los fabricantes podrían poner en venta montones de aparatos diferentes, cada uno con un nivel distinto de prestaciones. Sin embargo, a la mayoría de los minoristas no les interesa tener en existencia un número elevado de artículos. De todos modos, como el coste marginal de producir el aparato más simple apenas sería inferior que el de producir el más avanzado, los consumidores ahorrarían poco comprando el más simple. Por eso, los fabricantes han preferido incorporar las prestaciones avanzadas en casi todos los aparatos que fabrican.

Los consumidores que prefieren que los aparatos sean más sencillos tendrán que conformarse con esperar a que los fabricantes añadan pronto una nueva prestación, un botón que inutilice o, al menos, oculte, las prestaciones que no son básicas.

¿Por qué las aerolíneas de bajo coste cobran por las comidas que sirven a bordo (que suelen ser gratuitas en las aerolíneas de lujo), mientras que los hoteles de lujo cobran por el acceso a Internet (que suele ser gratis en los hoteles económicos)? (Jia Dai)

Las comidas a bordo de los aviones, que antes servían gratis casi todas las compañías aéreas, hoy en día sólo se sirven habitualmente en los aviones de las aerolíneas caras como Singapore Airlines. Actualmente, los pasajeros que vuelan con United Airlines o American Airlines, si quieren comer a bordo, tiene que llevar su propia comida o comprar las bandejas que venden los auxiliares de vuelo. En cambio, los hoteles de lujo como el Four Seasons suelen cobrar 10 dólares al día por utilizar Internet en la habitación, mientras que, normalmente, los hoteles económicos como el Hampton Inn ofrecen ese mismo servicio sin coste alguno. ¿A qué se debe esta diferencia?

El principio de que el dinero no se sirve en bandeja dice que, en un mercado perfectamente competitivo, los clientes que deseen recibir un servicio adicional deben pagarlo. Lo lógico es que, si una empresa intentase «regalar» un servicio adicional incluyéndolo en el precio del producto básico, un competidor podría quitarle los clientes que no quisieran ese servicio poniendo un precio inferior al producto básico y cobrando aparte el servicio.

En la práctica, como es sabido, no hay mercados en donde la competencia sea perfecta. No obstante, el mercado de los billetes de avión de bajo coste se aproxima mucho más a las condiciones ideales que el mercado de los billetes de lujo. En este último, las empresas son menos numerosas y ofrecen servicios especializados. Por los mismos motivos, el mercado de las habitaciones de hotel económicas se aproxima mucho más a las condiciones de competencia perfecta que el mercado de las habitaciones de lujo. Lo dicho nos induciría a pensar que es más probable que, en las aerolíneas y hoteles baratos, los servicios adicionales se cobren aparte. En efecto, el principio de que el dinero no se sirve en bandeja explica por qué las aerolíneas de bajo coste cobran aparte las comidas, mientras que las de lujo las incluyen en el precio. Asimismo, explica por qué antes la mayoría de las compañías aéreas las servían gratis, pues el mercado del transporte aéreo fue un mercado de lujo hasta hace relativamente poco tiempo. Sin embargo, este principio parece incompatible con el modo en que los hoteles fijan los precios del acceso a Internet, el cual sigue un modelo opuesto.

Una hipótesis admisible es que esta inversión se debe a una diferencia en las estructuras de costes de estos dos servicios. El coste de servir una comida aumenta de modo proporcional al número de comidas servidas. En cambio, el coste de proporcionar acceso a Internet es en gran medida fijo. Una vez que un hotel tiene instalada la red inalámbrica, el coste marginal de conceder acceso a un huesped es literalmente nulo.

El principio de que el dinero no se sirve en bandeja nos dice que, cuanto más competitivo sea el mercado de un bien o un servicio, más se aproximará su precio al coste marginal. Por tanto, si el mercado de las habitaciones de hotel económicas es más competitivo que el mercado de las habitaciones de lujo, lo lógico es que sean más bien los hoteles baratos los que incluyan el acceso a Internet en el precio de la habitación. Tal vez a estos hoteles les gustaría cobrar un sobreprecio por dicho servicio, pero, como el coste marginal de prestarlo es nulo, tarde o temprano uno de ellos lo ofrecería de forma gratuita. Dicha oferta atraería a los clientes sensibles al precio y obligaría a los demás hoteles económicos a hacer lo mismo. En cambio, las líneas aéreas de bajo coste no se ven presionadas del mismo modo para ofrecer comidas gratis porque el coste marginal de servir una comida es positivo.

Los hoteles de lujo pueden cobrar el acceso a Internet porque, por regla general, su clientela posee un alto poder adquisitivo o bien viaja con los gastos pagados y, por tanto, no es excesivamente sensible al precio. Con todo, si un número suficiente de clientes comenzara a quejarse porque este servicio no es gratuito, el hecho de que el coste marginal de proporcionar acceso a Internet sea nulo hace pensar que algunos hoteles de lujo empezarían a incluir este servicio en el precio de la habitación. En ese caso, los demás hoteles de lujo se verían presionados para hacer lo mismo.

En los dos ejemplos siguientes, los vendedores parecen tener el poder de fijar precios más elevados o cobrar gastos de cancelación pero, por motivos estratégicos, prefieren no ejercer ese poder.

¿Por qué los parques de atracciones no cobran más por sus atracciones estrella, a pesar de que siempre hay mucha cola para entrar en ellas?

El 1 de enero de 2006, el Disney World de Orlando, Florida, cobraba 55,16 dólares por la entrada infantil que permite el acceso ilimitado a todas las atracciones durante un día. Para ser precisos, el acceso es ilimitado sólo en un sentido limitado: los niños pueden montar en cualquier atracción todas las veces que quieran, pero algunas de ellas tienen casi siempre mucha cola. Por ejemplo, cuando el parque está lleno, hay que esperar más de una hora para montar en la Space Mountain, la atracción estrella. ¿Por qué Disney no cobra un sobreprecio por las atracciones más solicitadas?

En sí, las colas no son una señal de que una empresa está desaprovechando una oportunidad servida en bandeja. Por ejemplo, el número de clientes que desean cenar en un restaurante una noche cualquiera es muy variable, por lo que resulta difícil ajustar los precios a un nivel que permita ocupar cada noche todas las mesas sin espera alguna. No obstante, lo que sorprende a un economista es que haya colas recurrentes y predecibles como las de Disney World.

La clave puede estar en que son los padres, y no los hijos, los que pagan las entradas de Disney World. Pensemos en cómo acabaría el día si la Space Mountain tuviese un sobreprecio calculado para que no hubiese colas, por ejemplo 10 dólares. Muchos niños seguirían queriendo subirse a esta atracción una y otra vez y, ahora, podrían hacerlo. Tarde o temprano, la mayoría de los padres se verían obligados a decir que no y, probablemente, lo tendrían que decir muchas veces. ¿Alguien cree que las familias se irían del parque con un buen recuerdo?

Cobrando una tarifa única y sirviéndose de las colas para racionar las atracciones más solicitadas, tal vez Disney haya llegado al mejor equilibrio posible.

¿Por qué las empresas de alquiler de coches no aplican ninguna penalización por cancelar una reserva en el último minuto, mientras que los hoteles y las aerolíneas cobran gastos considerables?

Si una persona compra una entrada de teatro y no llega a la función a causa del tráfico, no le devuelven el dinero. Lo mismo ocurre con los billetes de avión. Si una persona no se presenta antes del vuelo, pierde el importe del billete. En el mejor de los casos, la compañía aérea le cobrará unos gastos de cancelación draconianos. Igualmente, casi todos los hoteles cobran la habitación si el cliente cancela la reserva después de las seis de la tarde del primer día de su estancia prevista. En cambio, las empresas de alquiler de coches funcionan de forma completamente distinta. El cliente no tiene que dar el número de su tarjeta de crédito cuando reserva un coche. Además, si no acude para llevarse el coche que ha reservado, no le imponen ninguna penalización de tipo económico. ¿A qué se debe esta diferencia?

Las empresas de alquiler de coches, como todas las empresas, quieren que sus clientes estén contentos. Como a nadie le gustan los gastos de cancelación, si una de estas empresas no los cobra, tendrá ventaja sobre las empresas de la competencia que sí los cobran. Es cierto que, según esto, asimismo los hoteles y las aerolíneas deberían suprimir las penalizaciones. Es de suponer que las aplican porque también a ellas les resultaría gravoso dejar que los clientes cancelen reservas en el último momento sin ninguna penalización. Habría muchos más asientos desocupados en los vuelos y muchas más habitaciones vacías en los hoteles. Ambos sectores tendrían que cobrar tarifas considerablemente más elevadas para continuar siendo rentables.

En principio, las empresas de alquiler de coches están sometidas a la misma presión. El hecho de que no cobren gastos de cancelación puede deberse a que, normalmente, sus clientes utilizan sus servicios justo después utilizar los de las aerolíneas y antes de utilizar los de los hoteles. Dado que estos dos últimos cobran gastos de cancelación, los clientes de las empresas de alquiler de coches suelen verse obligados a recoger el coche a la hora prevista a pesar de que no haya penalización por cancelación. Por tanto, estas empresas se pueden permitir no desagradar a los clientes que cancelan una reserva, porque las políticas de cancelación de hoteles y aerolíneas garantizan que no haya muchas cancelaciones.

5

CARRERAS ARMAMENTISTAS Y LA TRAGEDIA
DE LOS BIENES COMUNALES

La mano invisible de Adam Smith es una de las ideas más conocidas de la ciencia económica. Este autor fue el primero que vio con claridad que la búsqueda del interés individual en el mercado suele redundar en el mayor beneficio de todas las personas. Por ejemplo, los fabricantes introducen innovaciones que ahorran costes con el fin de aumentar su beneficio, pero, cuando la competencia hace lo mismo, se encuentran con que, al final, los beneficios pasan a los consumidores en forma de precios más bajos.

A diferencia de muchos economistas actuales que alaban la mano invisible, Smith no abrigaba la esperanza de que la competencia desenfrenada *siempre* redundase en el mayor beneficio de todas las personas. En *La riqueza de las naciones*, por ejemplo, realiza una afirmación algo más moderada sobre las consecuencias del comportamiento egoísta del empresario: «Buscando su propio interés, *a menudo* promueve el de la sociedad de forma más efectiva que si se esforzase por promoverlo» (la cursiva es mía).

Fue Charles Darwin—el padre de la biología evolutiva, muy influido por los escritos de Adam Smith, Thomas Malthus y otros economistas—quien descubrió un conflicto profundo y generalizado entre los intereses individuales y colectivos. La tesis fundamental de Darwin consiste en que la selección natural favorece los rasgos y comportamientos que aumentan la capacidad de reproducción del individuo. El que beneficien o no a la especie en su conjunto no suele ser rele-

135

Foto de Duke Conrad

Grandes cornamentas: ¿inteligente en uno, estúpido en todos?

vante. Algunos caracteres, por ejemplo la inteligencia, no sólo contribuyen al éxito reproductivo individual, sino que redundan en beneficio de toda la especie. Otros caracteres proporcionan una ventaja al individuo pero perjudican al grupo. La enorme cornamenta del alce macho es un ejemplo claro de esto último.

Igual que los machos de elefante marino y de la mayoría de las especies que practican la poliginia, los machos de alce combaten para hacerse con las hembras. En estas batallas, la cornamenta es el arma principal, por lo que suele ganar el individuo que posee la cornamenta de mayor tamaño. Los alces con cornamentas más grandes consiguen más hembras y, en consecuencia, los genes correspondientes aparecen con mayor frecuencia en la siguiente generación. Al final, la cornamenta se convierte en el objeto de una descontrolada carrera armamentista evolutiva.

Aunque las grandes cornamentas aumentan las posibilidades de apareamiento, hacen que a los alces les resulte más difícil huir de los lobos y de los demás depredadores en la es-

Foto de Christian Boice

La lucha por las hembras: ¿el último torneo en el que el ganador se lo lleva todo?

pesura. Por eso, a estos animales les convendría sobremanera que la cornamenta de cada individuo se redujese a la mitad. Puesto que, en la lucha, lo que importa es el tamaño relativo de los cuernos, si todos los tuviesen más pequeños, el resultado de cada combate sería el mismo y todos los alces disfrutarían de mayor protección frente a los depredadores.

La selección natural, dado que es el origen del problema, no puede ser su solución. Un alce con la cornamenta más pequeña sería un poco más inmune a los depredadores, pero no conseguiría un harén. Por tanto, sus genes no llegarían a la generación siguiente, el único resultado que cuenta en el esquema darwiniano.

El exceso de cornamenta pertenece a la categoría de caracteres que podemos calificar de inteligentes en uno y estúpidos en todos. Existen abundantes ejemplos de este fenómeno en la vida cotidiana. Si el individuo que toma las decisiones obtuviese todos los beneficios y soportase todos los costes asociados a una acción, tendríamos la mano invisible de Adam Smith. Pero muchas decisiones individuales originan beneficios o costes que repercuten en los demás.

Por ejemplo, cuando alguien del público se pone de pie

para ver mejor, tapa la vista a los que están detrás de él. Igualmente, cuando salen a pescar más barcos, reducen la pesca de todos los barcos. En esos casos, la mano invisible no funciona. Todos se levantan para ver mejor, pero todos ven igual que si hubiesen permanecido sentados. Asimismo, si los pescadores salen a pescar cuando el valor neto de las capturas esperadas supera el coste de oportunidad del tiempo y demás costes, las reservas de pesca se agotan y se produce una «tragedia de los bienes comunales».[1]

En este capítulo, veremos que la divergencia entre los intereses individuales y los sociales ayuda a responder gran cantidad de cuestiones fascinantes.

¿Por qué los médicos suelen recetar demasiados antibióticos?
(Fred Heberle)

Cuando los pacientes se quejan de una pequeña infección respiratoria o de oído, los médicos recetan antibióticos. Si la infección es bacteriana (y no vírica), el tratamiento antibiótico suele acelerar la recuperación. No obstante, cada vez que un paciente toma antibióticos, existe un riesgo pequeño de que surja una nueva cepa de bacterias resistentes a los medicamentos. Por eso, las autoridades sanitarias instan a los médicos a que no receten antibióticos a menos que la infección sea grave. ¿Por qué, no obstante, son tantos los médicos que siguen prescribiéndolos para infecciones menores?

La mayoría de los médicos están al corriente de que la resistencia a los medicamentos se produce de forma automática y rápida cuando se extiende el uso de un antibiótico. Por ejemplo, en 1947 se descubrió una cepa de estafilococo (*Staphylococcus aureus*) resistente a la penicilina, sólo cuatro años después de que este antibiótico comenzase a usarse de forma generalizada. Asimismo, casi todos los médicos saben que las cepas resistentes a los antibióticos pueden causar problemas graves. Cuando surgió el *Staphylococcus aureus*, los médicos empezaron a tratarlo con otro antibiótico, la meticilina, pero la solución fue sólo temporal. Las bacterias resistentes a la meticilina (SARM) se descubrieron en el Reino Unido en 1961 y, hoy en día, abundan en los hospitales de todo el mundo. Las infecciones por SARM fueron responsables del 37 por 100 de las muertes por infecciones de sangre que se produjeron en el Reino Unido en 1999, cuando en 1991 sólo causaron el 4 por 100.

La excesiva prescripción de antibióticos constituye una tragedia de los bienes comunales, igual que el exceso de capturas en los océanos.[2] Del mismo modo que las capturas de un solo pescador no pueden provocar una grave disminución de las reservas de un pez, una sola receta de antibiótico no puede originar una bacteria letal resistente a los medicamentos. Sin embargo, cada vez que se receta un antibiótico, suelen sobrevivir al menos algunas de las bacterias que causaron la infección. Cada una de las células bacterianas de una colonia es diferente y, desgraciadamente, las que más probabilidades tienen de sobrevivir al tratamiento antibiótico no constituyen una muestra aleatoria de la población original. Más bien, se trata de las células cuya estructura genética es menos vulnerable al medicamento. Tal vez mueran estas supervivientes si se aumenta la dosis, pero, a medida que pasa el tiempo y se acumulan las mutaciones, aumenta la resistencia al medicamento de las bacterias que sobreviven.

El dilema al que se enfrentan los médicos consiste en que los pacientes piden antibióticos creyendo que su uso acelerará la recuperación. Algunos médicos se niegan a utilizar este tratamiento cuando la infección es leve, pero otros acceden sabiendo que, si no lo hacen, sus pacientes podrían acudir a otro médico. El Centro para el Control de las Enfermedades calcula que cada año se recetan innecesariamente unos 150 millones de antibióticos.

Probablemente, saber que una sola receta no basta para

que surja una cepa resistente a los medicamentos hace que a los médicos les resulte aún más fácil acceder a lo que pide el paciente. Desgraciadamente, el efecto acumulado de estas decisiones, casi con total seguridad, es la aparición de cepas más mortíferas.

¿Por qué las mujeres soportan la incomodidad de llevar tacones altos? (Digby Lock)

Los tacones altos son incómodos y hacen que resulte difícil caminar. Si se usan de forma continuada, pueden causar daños en los pies, las rodillas y la espalda. ¿Por qué siguen llevándolos las mujeres?

La respuesta fácil es que las mujeres, cuando llevan tacones, llaman más la atención y gustan más. En *Sentido y sensibilidad*, Jane Austen dice de Elinor Dashwood que poseía «un cutis delicado, rasgos simétricos y [...] una figura excepcionalmente hermosa». Pero, según la descripción de la autora, Marianne, hermana de Elinor, era «aún más bella. Su talle, aunque no tan perfecto como el de su hermana, era más llamativo gracias a su altura».[3] Los tacones, además de aumentar la altura de las mujeres, hacen que curven la espalda, echen el pecho hacia delante y saquen el trasero hacia atrás, con lo que acentúan así la forma femenina. Según Caroline Cox, historiadora de la moda: «A los hombres les gusta una figura exageradamente femenina».[4]

El problema es que, si todas las mujeres llevan tacones altos, esas ventajas acaban anulándose mutuamente. No hay que olvidar que la altura es algo relativo. Puede ser una ventaja medir unos cuantos centímetros más que las demás o, al menos, no medir varios centímetros menos. Sin embargo, como los tacones aumentan la altura de todas, la distribución relativa de la altura permanece igual y, por tanto, ninguna parece más alta de lo que sería si todas llevasen zapatos planos. Si las mu-

Para ligar, igual que para el deporte, la altura suele venir bien.

jeres pudiesen decidir colectivamente el tipo de zapatos que les gustaría llevar, quizá todas estarían de acuerdo en prescindir de los tacones. Aun así, el hecho de que cualquiera de ellas pudiese obtener una ventaja poniéndose unos zapatos de tacón dificultaría el cumplimiento del acuerdo.

¿Por qué son tantos los supermercados que, incluso en las ciudades pequeñas, abren veinticuatro horas al día?

Ithaca, una ciudad de unos 30.000 habitantes del norte de Nueva York, tiene cinco tiendas de comestibles que permanecen abiertas toda la noche. Los clientes que van a una de ellas a las cuatro de la mañana se encuentran casi siempre con que son las únicas personas de la tienda a excepción de los dependientes. Los costes de mantener abierto un establecimiento toda la noche no son enormes, pero tampoco insignificantes. Por ejemplo, el consumo de luz de los carteles luminosos, de calefacción y de aire acondicionado es mucho mayor que si cerrasen entre las doce de la noche y las seis de la mañana. Además, el salario de los cajeros, dependientes y guardias de seguridad que trabajan por la noche incluye un plus de nocturnidad. Teniendo en cuenta que estos costes, casi con total seguridad, exceden los beneficios procedentes de las ventas realizadas a altas horas de la madrugada, ¿por qué permanecen abiertas estas tiendas toda la noche?

Cuando un consumidor decide en qué tienda va a hacer la compra, se ve influido por factores como el precio, la variedad, la situación y las horas de apertura. Normalmente, los consumidores eligen la tienda que más se ajusta a sus preferencias y compran casi todo allí. Una vez que se sabe dónde está cada producto en una tienda, ¿por qué iban a perder el tiempo buscando los productos en otra? Por eso, a las tiendas les interesa mucho ser las preferidas del máximo número de consumidores posible.

Los precios y la variedad de productos no suelen variar mucho de una tienda a otra, pero una variación en estos factores puede ser decisiva para muchos clientes. Aunque es improbable que hagan la compra habitualmente en una tienda que los coge a trasmano, la ubicación no suele ser crucial para los habitantes de una pequeña ciudad que disponen de coche. Supongamos que todos los supermercados cerraran de las once de la noche a las siete de la mañana. Si uno de ellos continuase abierto hasta las doce de la noche, se convertiría en el supermercado de mejor horario. Incluso los consumidores que sólo de vez en cuando hacen la compra entre las once y las doce de la noche tendrían un motivo para convertirlo en su supermercado habitual: poder encontrar las cosas fácilmente cuando necesitasen comprar por la noche. Aunque una tienda sólo tenga unos pocos clientes entre las once y las doce de la noche, esa hora adicional induciría a más clientes a elegirlo para realizar la mayoría de sus compras.

Para evitar que dejen de ir sus clientes habituales, a los supermercados de la competencia les interesa mucho no quedarse atrás con relación al horario de apertura. Entonces, otras tiendas podrían ganar terreno prolongando su horario hasta la una de la madrugada. Si los costes de mantener abierta una tienda casi vacía no fuesen excesivos, la mayoría de las tiendas grandes acabarían abriendo toda la noche. Y eso es lo que, al parecer, ha ocurrido en Ithaca.

Dado que, en Ithaca, la mayoría de los supermercados permanecen abiertos toda la noche, un recién llegado ya no basaría su elección en el horario. Por eso, estos establecimientos siguen compitiendo en otros aspectos. Por ejemplo, uno es conocido por sus productos hechos al horno, otro porque tiene el mejor surtido de productos internacionales, etcétera. Pero ninguno está dispuesto a volver a cerrar por la noche.

Las tiendas de comestibles no siempre han abierto toda la noche en Ithaca. Además, en otras ciudades del mismo tamaño ninguna tienda abre las veinticuatro horas. Por tanto, aunque la dinámica competitiva que acabamos de describir pueda explicar de forma admisible por qué en Ithaca las tiendas permanecen abiertas toda la noche, es evidente que no explica la distribución geográfica ni la evolución cronológica de este fenómeno.

¿Por qué las tiendas exponen artículos navideños en septiembre?
(Melissa Moore, Eric Sass)

Aunque, «oficialmente», la temporada de compras navideñas no comienza hasta el viernes siguiente al Día de Acción de Gracias (cuarto jueves de noviembre), actualmente los árboles artificiales y las coronas navideñas aparecen en las tiendas desde septiembre. Poner productos en exposición con tanta antelación supone costes de oportunidad, ya que las estanterías ocupadas con productos navideños no pueden utilizarse para exponer otros artículos. Eso significa que esta práctica disminuye las ventas de otros productos. Dado que el importe total de lo que gastan los consumidores en artículos de Navidad depende muy poco de la duración de este periodo, ¿por qué las tiendas los exponen tan temprano?

Durante la temporada navideña se producen aproximadamente un 40 por 100 de las ventas anuales al por menor y casi un 65 por 100 de los beneficios anuales de los minoristas. Si la mayoría de los comercios esperasen al cuarto viernes de noviembre para poner en exposición las coronas navideñas, uno de ellos podría colocarse en una situación de ventaja exponiéndolas antes, digamos, el viernes anterior al Día de Acción de Gracias. El total de coronas vendidas no aumentaría, pero este comercio quitaría clientela a los demás.

Para defender su terreno, también las demás tiendas adelantarían la exposición de productos navideños. Con ello, llegarían a un equilibrio temporal que, de nuevo, daría lugar a un desplazamiento de fechas. Dado que, en los últimos años, el comercio minorista se ha vuelto más competitivo, en muchos mercados la fecha extraoficial en que las tiendas comienzan a exponer los productos navideños se ha adelantado hasta justo después del Día del Trabajo estadounidense (primer lunes de septiembre).

¿Ocurrirá algo parecido a lo que vimos en el caso de los supermercados que abren veinticuatro horas y acabaremos viendo artículos navideños todo el año? Es posible, pero no probable. Los supermercados permanecen abiertos toda la noche porque el coste de abrir una hora adicional es bastante pequeño. En cambio, ocupar las estanterías con artículos navideños significa no poder utilizarlas para exponer otros productos y, en algún momento, el coste de oportunidad correspondiente sería excesivo. Los minoristas que no encuentran una manera más rentable de utilizar su limitado espacio de exposición que exponer artículos navideños en marzo, probablemente no tienen mucho futuro.

¿Por qué se comen «demasiado pronto» las cerezas de los cerezos que hay en los parques públicos?

Las cerezas, como todas las frutas, siguen un proceso natural de maduración. Al principio están demasiado ácidas y es desagradable comerlas, pero, a medida que avanza el proceso, aumenta el contenido en azúcar del fruto y éste resulta más agradable para la mayoría de los paladares. Los profesionales del cultivo de la cereza calculan la cosecha para que la fruta llegue a los supermercados en el momento en que se completa el proceso de maduración. En cambio, las cerezas que crecen en los parques públicos siempre se cogen cuando aún no están lo suficientemente dulces como para ser consumidas. Si la gente las dejase en el árbol un poco más, serían mucho más sabrosas. ¿Por qué no espera la gente?

Quienes se dedican a cultivar cerezas plantan los árboles en terrenos privados y, si alguien entra en ellos para coger cerezas sin autorización, comete un delito. A estos agricultores no les interesa recoger la fruta antes de tiempo porque los consumidores y, por ende, los fruteros, están dispuestos a pagar más por la fruta madura.

En cambio, en los parques públicos los incentivos son diferentes, porque cualquiera puede coger cerezas libremente. Aunque todos se beneficiarían si se dejase madurar la fruta, si alguien esperase tanto tiempo, no le quedaría nada que coger.

Las cerezas que crecen en los parques públicos comienzan a desaparecer en el momento en que maduran lo suficiente como para que comerlas sea mejor que nada. En ese punto, no proporcionan mucho placer. Sin embargo, como no puede evitarse que otros las cojan, es casi imposible encontrar cerezas maduras.

¿Por qué la costumbre de dividir en partes iguales la cuenta hace que la gente gaste más en los restaurantes?

Cuando un grupo de amigos cena en un restaurante suele dividir la cuenta en partes iguales. Esta costumbre le resulta más cómoda al personal del local que hacer una cuenta separada por cada comensal. Además, es más fácil que estar al tanto de lo que ha pedido cada uno y calcular exactamente lo que le corresponde. Aun así, muchas personas rechazan esta costumbre porque quienes consumen menos se ven obligados a pagar más de lo que han comido y bebido. Dividir la cuenta a partes iguales tiene otra consecuencia no deseada: incita al grupo a gastar más que si cada uno pagase lo suyo. ¿Por qué produce este efecto?

Supongamos que un grupo de amigos ha acordado previamente dividir la cuenta a partes iguales. Ahora, supongamos que uno de ellos está dudando entre el plato normal de costilla de ternera de primera que, según la carta, cuesta 20 dólares, y el plato grande que cuesta 30 dólares. Pongamos que el beneficio adicional del plato grande vale para él 5 dólares más que el plato normal. Si estuviese solo, pediría la ración normal, porque los 5 dólares de beneficio adicional de la ración grande son menos que los 10 dólares del coste adicional. Sin embargo, como el grupo ha acordado dividir la cuenta a partes iguales, pedir el plato grande sólo incrementa su parte de la cuenta total en 1 dólar (la décima parte de los 10 dólares adicionales que cuesta la ración grande). Y, puesto que la ración grande vale para él 5 dólares más, no dudará en pedirla.

Los economistas califican estas decisiones de ineficientes porque los 4 dólares netos que gana esta persona pidiendo el plato grande (los 5 dólares adicionales que vale para él dicho plato menos el dólar adicional que acaba pagando) son menos que la pérdida neta que transfiere al resto del grupo (el incremento de 9 dólares en la cuenta total que paga el resto del grupo porque esta persona ha pedido el plato grande).

Aunque dividir la cuenta sea injusto e ineficiente, es improbable que esta costumbre desaparezca. Al fin y al cabo, las pérdidas que conlleva suelen ser pequeñas y hace que el pago sea más cómodo.

¿Por qué un accidente en el sentido norte de una autovía provoca un atasco en los carriles que se dirigen hacia el sur?
(Thomas Schelling)

Cuando se produce un accidente en los carriles de una autovía que se dirigen hacia el norte, es comprensible que se forme una caravana en esos carriles. Los coches accidentados, las ambulancias y los vehículos de la policía suelen obstruir dichos carriles durante horas. Pero ¿por qué provoca el accidente una caravana, a veces de varios kilómetros, en los carriles contrarios?

La curiosidad del mirón: ¿merece la pena el retraso?

A medida que se acercan al lugar del accidente, los conductores que vienen de frente realizan un simple cálculo de coste-beneficio. El coste de desacelerar para ver mejor el accidente es que se retrasarán unos cuantos segundos. El beneficio es que, haciendo eso, satisfarán su curiosidad. A juzgar por su comportamiento, el beneficio supera el coste en la mayoría de los conductores.[5] Lo que los conductores no tienen en cuenta, claro está, es que la decisión de desacelerar que toma uno de ellos retrasa varios segundos a cada uno de los cientos o miles de conductores que vienen detrás. El coste acumulado de ver mejor el accidente puede ascender a más de una hora de retraso por cada conductor.

Parece improbable que haya muchos conductores dispuestos a soportar una hora de retraso por ver mejor un accidente. Si los conductores pudieran llevar a cabo una votación y se comprometieran a respetar el resultado, es casi seguro que decidirían no desacelerar. El problema es que, en este asunto, las decisiones se toman de forma individual cuando cada conductor llega al lugar del accidente. En ese momento, puesto que ya han soportado el coste de la curiosidad, la mayoría de ellos, incluso los que tienen prisa, deciden desacelerar.

Los últimos ejemplos de este capítulo muestran que, cuando no coinciden los intereses individuales con los del grupo, las personas pueden tomar diversas medidas para conjugarlos.

¿Por qué los jugadores de hockey han votado unánimemente que el casco sea obligatorio, a pesar de que, cuando cada jugador puede elegir a voluntad, casi siempre patinan sin él?
(Thomas Schelling)

Un jugador sin casco, quizá porque puede ver y oír un poco mejor o porque intimida más a los contrincantes, hace que su equipo tenga más posibilidades de ganar. La desventaja es que también aumentan las posibilidades de que se lesione. Si valora más la mayor posibilidad de éxito que la seguridad adicional, se quitará el casco. Sin embargo, si los demás hacen lo mismo, se restablece el equilibrio competitivo, es decir, todos corren un riesgo mayor y nadie se beneficia de ello. De ahí el interés de la regla de llevar casco.[6]

¿Por qué las escuelas obligan a los colegiales a llevar uniforme?

Muchas personas consideran que la libertad para vestir como uno quiera es un derecho fundamental. No obstante, cuando se convierten en padres de niños en edad escolar, muchas de estas personas empiezan a comprender a las escuelas que exigen que los alumnos lleven uniforme. ¿Por qué imponen las escuelas esta obligación y por qué tantos padres están de acuerdo?

Cuando los colegiales disponen de libertad para elegir la ropa que llevan, tienen que considerar lo que implícitamente están diciendo a los demás de sí mismos. Por ejemplo, alguien que quiere dar la impresión de ser osado podría llevar ropa muy atrevida. Alguien que desea que los demás piensen que le va bien y que domina la situación, tal vez lleve ropa de mucha calidad. Pero los conceptos «atrevido» y «calidad» son inherentemente relativos. Si muchos estudiantes comienzan a llevar ropa que destaca en relación con las normas que definen estas cualidades, las propias normas cambiarán. Como ocurría con las cornamentas de los machos de alce, podría producirse una costosa carrera armamentista.

El inconveniente de obligar a los escolares a llevar uniforme es, obviamente, que esto limita su capacidad para expresarse. La ventaja es que reduce los costes, tanto económicos como emocionales, de las carreras en las que el armamento es el vestuario.

¿Por qué muchos centros de enseñanza secundaria ya no designan a un alumno para que pronuncie el discurso de despedida en la ceremonia de graduación?

En las ceremonias de graduación de la mayoría de los centros de secundaria, el discurso de despedida lo solía pronunciar un alumno, normalmente el que había conseguido la mejor nota media. Sin embargo, en los últimos años, muchos centros han dejado de nombrar un alumno para que pronuncie este discurso. ¿Qué los ha impulsado a tomar esta medida?

La competencia para entrar en las universidades de élite se ha intensificado. Por ejemplo, en los últimos años la ciudad de Nueva York sólo ha admitido a uno de cada catorce candidatos. En estas condiciones, los alumnos se ven mucho más presionados que antes para obtener un historial académico impresionante. Dado que ser designado para pronunciar el discurso de graduación de toda una promoción es uno de los méritos más impresionantes, la lucha por alcanzar este honor es cada vez más reñida. Los consejos de dirección de muchos centros llegaron a la conclusión de que esta pugna estaba adquiriendo una importancia desmesurada en la vida de los estudiantes más destacados, los cuales, en muchos casos, estaban renunciando a experiencias importantes en la vida con el fin de obtener las mejores calificaciones en todas las asignaturas. Eliminando la práctica de nombrar a un alumno para que pronuncie el discurso de graduación, estos consejos de dirección quisieron reducir la tensión de esta carrera armamentista entre los alumnos que aspiraban a ser primeros de promoción.

¿Por qué los burócratas prefieren la voz pasiva? (Alfred Kahn)

En 1977, el presidente estadounidense Jimmy Carter nombró presidente de la Junta Aeronáutica Civil (Civil Aeronautics Board, CAB) a Alfred Kahn, antiguo catedrático de economía en la Universidad de Cornell. La CAB, ahora extinta, era el organismo que regulaba las tarifas y rutas de la aviación civil estadounidense. La misión de Kahn consistía en desregular este sector y eliminar el organismo. Cuando llegó a Washington, se sorprendió al ver que la mayoría de las normas que había emitido el gabinete jurídico eran casi ininteligibles. Abundaban pasajes similares a éste:

El titular [de una licencia de la CAB] puede continuar prestando servicio de forma regular a cualquier punto mencionado aquí a través del último aeropuerto desde el que solía prestar servicio a dicho punto antes de la entrada en vigor de la licencia. Respetando el procedimiento que la junta determine al respecto, el titular puede, aparte de los servicios estipulados expresamente más arriba en la presente norma, dar servicio de forma regular a un punto mencionado aquí a través de cualquier aeropuerto cuya situación sea adecuada para ello.

En la primera nota interna que envió al departamento jurídico, Kahn avisó a sus abogados que no aceptaría ningún documento que no estuviese escrito en un inglés claro. En ella, decía: «Lean a sus esposas e hijos los documentos que escriban y, si se echan a reír, hay que volver a redactarlos». Pero ¿cuál es el motivo de que redacten documentos tan difíciles de entender?

El trabajo del funcionario de un organismo regulador consiste en regular lo que hace la gente. Normalmente, esto implica decirles que no pueden hacer lo que quieren. A casi nadie le resulta agradable frustrar a los demás. Es comprensible que los burócratas deseen minimizar la importancia de su papel en el proceso regulador. Por ejemplo, en lugar de decir: «Prohíbo a United Airlines que vuele de San Diego a San Antonio», los funcionarios de un organismo regulador se sienten más cómodos diciendo algo así como: «Se ha considerado que no es de interés público que United Airlines continúe prestando servicios de transporte aéreo entre San Diego y San Antonio».

Este mandato de Kahn se divulgó y fue aplaudido en todo el mundo por los partidarios de la claridad en el lenguaje. Los documentos que redactó la CAB a continuación fueron más claros y concisos.

¿Acaso se mantuvo esta nueva manera de expresarse? Es difícil saberlo, pues la mayoría de los abogados de esta institución se han desperdigado en puestos diferentes. Sin embargo, existe una razón para sospechar que el lenguaje claro no va a alcanzar un equilibrio estable en la burocracia. Si se convirtiese en la norma, a cualquier burócrata le interesaría desplazarse ligeramente hacia la vaguedad para que no se notase tanto que está restringiendo las acciones de los demás. Si se pasase de la raya, se arriesgaría a que lo amonestasen, pero una pequeña variación pasaría inadvertida. Los demás burócratas, no menos deseosos de hacerse invisibles, harían lo mismo y, poco a poco, aumentaría el nivel de vaguedad admisible. No es difícil ver que, al cabo de un proceso gradual, el lenguaje burocrático volvería a ser totalmente ininteligible. Probablemente, esta forma de expresión persistiría hasta que apareciese otra persona con poder y decisión suficientes para exigir mayor claridad.

6

EL MITO DE LA PROPIEDAD

Quienes se han educado en países occidentales industrializados suelen dar por sentado que un propietario puede hacer lo que quiera con su propiedad. Ciertamente, esta suposición, dentro de límites razonables, es bastante acertada. Por ejemplo, en la mayoría de los países, poseer una bicicleta implica tener derecho a utilizarla cuando a uno le apetezca, decirles a los demás que no pueden cogerla y venderla a quien uno quiera.

El hecho de que, en Estados Unidos y en muchos otros países industrializados, el nivel de vida sea cuarenta veces superior al que había en el siglo XVIII se debe en gran medida a la existencia de sistemas legales que definen claramente los derechos de propiedad y los defienden de forma enérgica. En cambio, no es habitual que prosperen las sociedades que carecen de ordenamientos jurídicos similares. Si las personas no pueden contar con que, por ley, lo que poseen es indiscutiblemente suyo, no tienen muchos alicientes para invertir en bienes de capital que generen riqueza.

No obstante, aunque los derechos de propiedad sean enormemente beneficiosos, también conllevan costes.[1] Para definir y hacer respetar el derecho a la propiedad de un bien cualquiera, son necesarios recursos ingentes. En ocasiones, los beneficios obtenidos no compensan. Si analizamos la cuestión con detenimiento, descubrimos que, en realidad, el concepto de propiedad es muy controvertido. El presente capítulo comienza con algunos ejemplos que exploran los límites de lo que creemos que significa ser dueño de algo.

¿Por qué en algunas islas es ilegal que el propietario
de una vivienda impida que otras personas utilicen su muelle?

El 13 de noviembre de 1904, varios miembros de la familia
Ploof estaban navegando en el lago Champlain y de repente
estalló una tormenta. Para resguardarse, amarraron su balan-
dro a un muelle que era propiedad de un tal Putnam, el cual
vivía en una casa de una isla del lago. Putnam envió a un sir-
viente para expulsar a los Ploof del muelle. Los Ploof dejaron
el muelle y, poco después, su barco volcó a causa de la tormenta. Algunos sufrieron daños, pero ninguno murió. Más tarde,
la familia presentó una demanda contra Putnam y, en 1908, un
juzgado de Vermont falló en favor de los Ploof.[2] ¿Por qué era
ilegal que Putnam negase su muelle a los Ploof?

Las leyes de la propiedad privada conceden a los propietarios un poder considerable, pero no absoluto, para decidir el
uso que dan a su propiedad. El juzgado de Vermont estimó
que las consecuencias de la tormenta eran más importantes que
el beneficio que pudiera haber extraído Putnam ejerciendo un
control total sobre su muelle.

¿Por qué en los terrenos ribereños no suele aplicarse la ley
que prohíbe entrar en propiedad ajena?

Los urbanitas no tienen derecho a atravesar el terreno de alguien sólo porque, así, llegan más rápidamente a los sitios.
Tienen que utilizar las aceras y otras vías públicas para desplazarse por la ciudad. En cambio, en muchas jurisdicciones, las
fincas que dan a un lago o al mar se rigen por normas diferentes. Por ejemplo, si alguien vive en una casa situada a orillas de
un lago y quiere visitar a unos amigos que viven tres casas más
al norte, tiene derecho a pasar por las dos fincas que están en
medio, aunque a sus propietarios no les guste. ¿A qué se debe
esta diferencia?

Como todas las leyes, las que prohíben entrar en propiedad ajena suponen costes y beneficios. Dado que los dueños de casas suelen valorar la intimidad y la seguridad, les beneficia que los demás no tengan derecho a entrar en su finca. Esto hace que muchas personas no puedan ir por el camino más corto al lugar adonde se dirigen. La importancia de estos costes y beneficios varía según el contexto.

Supongamos que el dueño de la casa A, situada en la zona urbana del dibujo, quiere visitar a un amigo que vive en la casa D. Podría atajar pasando por los terrenos de las casas B y C. Si se le prohibiese entrar en esas fincas, tendría que caminar más, pero no mucho más, dado que hay vías públicas cerca. En este caso, la privacidad vale más que un camino más corto.

Ahora, supongamos que las casas están situadas a orillas de un lago, como las que podemos ver en la parte inferior derecha del dibujo. Si la persona que vive en la casa A quiere visitar a un amigo que vive en la casa D, el trecho sería muy corto

Dibujo de Mick Stevens

Los beneficios de entrar en propiedad ajena son menores en zonas urbanas (izquierda) que en terrenos ribereños (derecha).

si pudiese atravesar caminando los terrenos de los dueños de las casas B y C. En cambio, si se viese obligada a utilizar las vías públicas, tendría que subir con el coche por un camino de medio kilómetro o más, recorrer una distancia similar en dirección norte y, finalmente, bajar por otro camino de cabras. En el caso de muchos terrenos ribereños, el coste de estos recorridos justificaría que no se aplicase la ley que prohíbe entrar en propiedad ajena.

Pero ésta no puede ser la única explicación, pues las normas que prohíben entrar en propiedad ajena excluyen las fincas ribereñas incluso aunque haya una carretera en la orilla y, en cambio, se aplican en zonas interiores incluso aunque estén muy alejadas de las vías públicas. La exclusión de las fincas ribereñas puede deberse también a que, desde tiempo inmemorial, las masas de agua se han considerado propiedad de todos y a disposición de todos. Esta disponibilidad no tendría sentido si no existiese el correspondiente derecho de acceso. En las épocas en que la pesca estaba más extendida, el derecho de acceso era importante desde el punto de vista económico. Aún lo es en lugares como Maine, donde los recién llegados que intentan restringir el uso de sus playas suscitan muchas polémicas.

¿Por qué los indios americanos del Pacífico noroeste definieron
y aplicaron derechos de propiedad sobre la tierra,
a diferencia de los que vivían en las Grandes Llanuras?

El recurso económico principal de los indios americanos de las Grandes Llanuras eran las manadas de búfalos salvajes que poblaban la región. Dado que los búfalos se agrupan en grandes manadas que recorren cientos de kilómetros, establecer derechos de propiedad sobre los pastos del búfalo habría supuesto dividir las Grandes Llanuras e invertir gran cantidad de recursos en construir miles de kilómetros de vallas. Como las manadas eran muy grandes en relación con las capturas de los cazadores, el beneficio de hacer valer esos derechos no justificaba los costes.

En cambio, los indios americanos que vivían en los territorios del Noroeste se ganaban la vida cazando con trampas animales pequeños de los que extraían carne y pieles. Normalmente, se trataba de animales que no recorrían grandes distancias, sino que pasaban toda la vida en un territorio pequeño. Definir derechos de propiedad sobre la tierra en que vivía una familia de indios americanos equivalía a otorgar derechos de captura sobre los animales que vivían en ese territorio. El principio de coste-beneficio, por tanto, explica sin mayor dificultad por qué estos dos grupos de indios americanos adoptaron posturas tan distintas con respecto a los derechos de propiedad.[3]

¿Por qué la ley concede la propiedad de una parcela a alguien que la ha ocupado ilegalmente durante al menos diez años?
(Plana Lee)

En el estado de Nueva York, si alguien ha ocupado una finca de forma continuada durante diez años, tiene derecho a reclamar el título de propiedad aunque, anteriormente, otra persona haya pagado por él. ¿Por qué la ley recompensa de este modo a los ocupantes ilegales?

Diferentes versiones de esta ley han recibido el nombre de derechos de ocupación ilegal o de usucapión. Dichos derechos obedecen a una lógica económica muy simple, a saber, permitir que permanezcan ociosas propiedades valiosas no favorece el bien común.[4] Algunos propietarios de bienes que podrían aprovecharse desaparecen sin dejar rastro ni herederos. Otros se olvidan de sus propiedades durante periodos prolongados. Si otorga derechos de ocupación, la ley incita a los propietarios a elegir entre sacar provecho de sus propiedades o venderlas. Gracias a los periodos de espera de diez o más años, las leyes de usucapión apenas afectan a los intereses de los propietarios legítimos, pues una propiedad abandonada durante mucho tiempo no debe de tener mucho valor económico para su titular.

La dificultad de aplicar los derechos de propiedad puede ayudarnos a comprender por qué se gestionan los recursos de forma más eficiente en unos casos que en otros.

¿Por qué las ballenas, y no los pollos, están en peligro de extinción?

Es raro que pase un año sin que los defensores del medio ambiente se manifiesten para protestar por la pesca internacional que está llevando al borde de la extinción a muchas especies de grandes mamíferos marinos. En cambio, que se sepa, no ha habido manifestaciones para pedir que salvemos a los pollos. ¿Por qué?

La respuesta rápida es que los pollos nunca han sido una especie en peligro de extinción. Pero con eso no avanzamos nada, pues se trata de saber por qué una especie está amenazada y la otra no.

Las poblaciones de ballenas han ido disminuyendo porque no pertenecen a nadie. Viven en aguas internacionales y, si bien existen tratados que intentan protegerlas, varios países se han negado a cumplirlos.

Los balleneros japoneses y noruegos se dan perfecta cuenta de que lo que están haciendo actualmente pone en peligro la supervivencia de las ballenas y, por tanto, su propio sustento. Pero cada ballenero sabe también que, si no captura una ballena, otro se encargará de hacerlo. Por tanto, a ningún ballenero le interesa controlarse.

En cambio, la mayoría de los pollos que hay en el mundo

Dibujo de Mick Stevens

Ballenas y búfalos: ¿tienen algo en común?

pertenecen a alguien. Si una persona mata uno de sus pollos hoy, tendrá un pollo menos mañana. Si se gana la vida criando pollos, le interesa mucho mantener un equilibrio entre el número de aves que pone en el mercado y el número de pollos que compra.

Tanto los pollos como las ballenas poseen un valor económico. El hecho de que las personas disfruten de derechos de propiedad sobre los primeros, pero no sobre las segundas, explica por qué aquéllos están a salvo y éstas en peligro.

¿Por qué la contaminación es un problema más grave en el mar Mediterráneo que en el Gran Lago Salado?

Muchos de los países que dan al Mediterráneo vierten en él aguas residuales y otras muchas sustancias contaminantes. En cambio, el Gran Lago Salado está extraordinariamente limpio. ¿Cuál es la explicación de esta diferencia?

Se podría aducir que el Gran Lago Salado está menos contaminado porque la cultura mormona respeta mucho más la naturaleza que las culturas seculares de los países que bordean el Mediterráneo. Es posible, pero una explicación más convincente desde el punto de vista económico es que la totalidad de dicho lago se encuentra dentro de una sola división administrativa (el estado de Utah), mientras que las aguas del Mediterráneo bañan las costas de más de doce países soberanos. Si Utah aprueba normas que limitan el vertido de sustancias tóxicas en el Gran Lago Salado, los ciudadanos de este estado soportan el coste de la normativa, pero también disfrutan del 100 por 100 de sus efectos beneficiosos. En cambio, si un país mediterráneo aprobase por su cuenta una normativa similar, sus ciudadanos soportarían todo el coste, pero recibirían sólo una pequeña parte del beneficio, pues el resto se repartiría entre los ciudadanos de otros países. Esta descompensación hace que, en el Mediterráneo, cada país dependa de las políticas medioambientales de los restantes, un problema que no se da en el Gran Lago Salado.

¿Por qué la caída de la antigua Unión Soviética resultó nefasta para los amantes del caviar del mar Caspio? (Thomas Gellert)

Para los gastrónomos de todo el mundo, no hay mayor exquisitez que el caviar del mar Caspio. La variedad menos abundante y más apreciada procede del esturión beluga, que puede llegar a medir nueve metros de largo, pesar ochocientos kilos y vivir hasta cien años.[5] Antes, el caviar beluga era caro, pero fácil de conseguir. Desde que, en 1989, se desmoronó la Unión Soviética, la oferta de este caviar ha caído en picado y su precio se ha disparado. ¿Qué ha ocurrido entre tanto?

Actualmente, el mar Caspio está rodeado por Irán y cuatro estados independientes que, anteriormente, formaban parte de la Unión Soviética: Rusia, Kazajistán, Turkmenistán y Azerbaiyán. Antes de 1989, los gobiernos fuertemente centralizados de Irán y la Unión Soviética regulaban de forma estricta la actividad comercial en este mar. Evitaron la tragedia de los bienes comunales prohibiendo la pesca de los esturiones más jóvenes. Cuando el fin de la Unión Soviética dejó a los gobiernos centrales sin poder para ejercer un control legal riguroso, los pescadores de esturiones se dieron cuenta de que el autocontrol ya no era viable desde el punto de vista económico. Sencillamente, todo pez que renunciasen a pescar habría caído en las redes de otro pescador.

Rusia e Irán han reactivado la cooperación para poner freno a la contaminación y sobreexplotación del mar Caspio. Mientras tanto, los consumidores pueden contar con que 100 gramos de caviar seguirán costando 560 dólares.

La ley no sólo afecta a lo que las personas pueden hacer con sus bienes, sino también a la evolución de las instituciones sociales. En concreto, ayuda a explicar por qué algunas instituciones se han convertido en entidades privadas con ánimo de lucro, otras en sociedades sin fines de lucro y otras en empresas públicas.

¿Por qué entre las universidades mejor clasificadas no se encuentran centros con ánimo de lucro? (Ashees Jain)

De los cientos de universidades que ocupan los puestos altos de la clasificación estadounidense, ninguna tiene ánimo de lucro. Tampoco lo tiene la mayoría de los demás centros de estudios superiores. Las excepciones más notables son centros con fines de lucro—por ejemplo la Universidad de Phoenix—especializados en enseñanza vocacional y que no aspiran en absoluto a pertenecer a la élite de las instituciones académicas. ¿Por qué la cúspide de la pirámide académica está formada exclusivamente por organizaciones sin ánimo de lucro?

Por regla general, las mejores universidades de Estados Unidos cubren como máximo un tercio de sus gastos con los ingresos procedentes de la matrícula. El resto se financia principalmente con donaciones, ya sean entregas en efectivo de antiguos alumnos o bien intereses de fondos aportados por ex alumnos recientemente o en el pasado. Suponiendo que los antiguos alumnos no hicieran donaciones a universidades constituidas como sociedades con ánimo de lucro, los centros sin ánimo de lucro disfrutan de una clara ventaja competitiva.

No obstante, los centros sin ánimo de lucro tendrían ventaja aunque no dispusiesen de una reserva de donaciones. Partiendo del supuesto admisible de que la calidad de la enseñanza es proporcional al dinero que invierten las universidades en cada alumno, imaginemos dos universidades, una con ánimo de lucro y otra sin él, que empiezan sin recursos financieros procedentes de donaciones. Supongamos que la primera cobra 20.000 dólares por la matrícula y gasta 20.000 dólares en cada estudiante. Su beneficio sería nulo, pero podría seguir funcionando. La segunda cobra 18.000 dólares por la matrícula, gasta en cada estudiante 20.000 dólares y necesita pedir al banco otros 2.000 por alumno, dinero que espera devolver cuando reciba donaciones de los futuros ex alumnos.

Dado que la calidad de la enseñanza (medida en términos de gasto por alumno) sería igual en ambas universidades, a un estudiante le debería dar igual pagar 20.000 dólares por asistir a un centro con ánimo de lucro o pagar, entre la matrícula y las futuras donaciones, una cantidad equivalente a un centro sin ánimo de lucro. Supongamos que el tipo marginal del impuesto sobre la renta del estudiante es de un 50 por 100. Como las donaciones son gastos deducibles, podría donar 4.000 dólares a una universidad sin ánimo de lucro y quedarse igual que si hubiese pagado los 2.000 dólares adicionales que costaba la matrícula de la universidad con ánimo de lucro.

En cuanto comenzasen a llegar las donaciones, la primera de ellas podría gastar 22.000 dólares por cada 18.000 que cobrase a un alumno en concepto de matrícula. A diferencia de ella, el gasto por alumno de la segunda no podría sobrepasar los 20.000 dólares que cobra por la matrícula.

En resumen, los centros sin ánimo de lucro tienen ventaja sobre los centros con ánimo de lucro porque una parte de los ingresos de aquéllos procede de donaciones fiscalmente deducibles. Eso hace que puedan gastar más por cada alumno incluso aunque los otros centros se contentasen con obtener un resultado nulo.

Si hay videoclubes Blockbuster, ¿por qué no hay libroclubes Blockbuster? (Up Lim)

Cuando alguien quiere ver un DVD, lo normal es que lo alquile a una empresa privada, ya sean establecimientos como los videoclubes Blockbuster o un distribuidor de Internet como Netflix. Aunque ha habido bibliotecas comerciales en diferentes épocas y lugares, siempre han sido la excepción. Normalmente, o bien compramos los libros en las tiendas de libros o los sacamos gratis de las bibliotecas públicas.[6] ¿Por qué no alquilamos libros?

Una de las razones tiene que ver con la justificación económica de que los estados dediquen dinero de los impuestos a financiar bibliotecas. El análisis de coste-beneficio nos informa de que el nivel socialmente eficiente de lectura o de cualquier otra actividad es aquel en el que el coste marginal coincide con la suma de sus beneficios marginales individuales y sociales.

Los economistas sostienen que la lectura, además de proporcionar un beneficio personal al lector, beneficia a toda la comunidad. Por ejemplo, el hecho de que la ciudadanía esté mejor informada suele redundar en el bien de todos. Sin embargo, los consumidores individuales, en el momento de decidir si leen un libro, se fijan sobre todo en lo que la lectura les aporta a ellos y no piensan en los beneficios para los demás. Por eso, la gente suele leer menos libros de lo necesario si se realizase un análisis de coste-beneficio desde el punto de vista de la comunidad en su conjunto. Una forma sencilla de remediar esto es subvencionar la lectura para que sea más atractiva; de ahí la existencia de bibliotecas públicas.

Ciertamente, podría esgrimirse un argumento similar en relación con determinadas películas. Por ejemplo, algunos han defendido que películas como *Una verdad incómoda* mejoran la calidad del electorado, lo cual debería tener como consecuencia que se llevasen a cabo políticas más inteligentes para afrontar el cambio climático. No obstante, la opinión general es que esta función educativa de carácter amplio se da mucho menos en las películas que en los libros, por lo que aquéllas no merecen tanto como éstos que se las financie con fondos públicos.

Otro motivo por el que los establecimientos de alquiler de libros son mucho menos comunes que los videoclubes es que, normalmente, las películas duran menos de dos horas, mientras que se necesitan días o, a veces, semanas, para leer un libro. La escasa rotación de los libros obligaría a las tiendas de alquiler a cobrar tarifas varias veces superiores a las de las películas, pues, de lo contrario, no serían rentables. El problema es que, como ocurría con los vestidos de novia, los precios del alquiler sólo pueden subir hasta cierto límite, a saber, aquel en el que merece más la pena comprar que alquilar.

Como hemos visto en el capítulo anterior, lo que favorece el interés particular de un individuo a menudo perjudica al grupo al que pertenece. Cuando esto les sucede a animales no humanos, suele ser imposible de remediar. Aunque los alces macho tienen motivos obvios para ponerse de acuerdo y decidir que todos se corten los cuernos a la mitad, no es factible que lleguen a tal acuerdo.

Evidentemente, en el caso de los colectivos humanos no ocurre lo mismo. Cuando los incentivos individuales favorecen comportamientos que perjudican a un grupo de personas, podemos atenuar el conflicto. Como vimos en el capítulo anterior, los jugadores de hockey autorizan de forma automática a las federaciones para que exijan llevar casco, si bien salen al campo sin él siempre que no es obligatorio. Los ejemplos siguientes muestran casos similares en los que las leyes y reglamentos contribuyen a resolver conflictos entre los intereses particulares y el interés general.

¿Por qué los trabajadores votan a políticos que están a favor de regular la seguridad en el trabajo y, sin embargo, cuando actúan por su cuenta, casi siempre eligen trabajos menos seguros pero mejor pagados?

La explicación convencional es que la regulación es necesaria para evitar que las empresas con poder de mercado exploten a los trabajadores. Sin embargo, las normas de seguridad se aplican con el máximo rigor en esos mismos mercados de trabajo fuertemente competitivos. La prueba de coste-beneficio de una medida de seguridad es que los trabajadores estén dispuestos a soportar su coste. Si, en un mercado competitivo, existiese un procedimiento que superase esta prueba, se estaría sirviendo dinero en bandeja. Supongamos que los trabajadores están dispuestos a renunciar a 100 dólares de su paga semanal a cambio de la seguridad adicional que proporciona una medida cuyo coste semanal se reduce a 50 dólares. Si una empresa no tomase dicha medida, estaría sirviendo dinero en bandeja a cualquier empresa rival que la tomase y, para financiarla, ofreciese salarios inferiores, por ejemplo en 60 dólares, a los de aquélla. Esta empresa, así como los trabajadores que se cambiasen a ella, saldrían ganando. En resumen, si los trabajadores quieren más seguridad y están dispuestos a asumir el coste, a los empleadores les debería interesar ofrecerla, aunque no hubiese normativa. Entonces, ¿qué sentido tiene regular?

El caso de los cascos de hockey que planteó Thomas Schelling (capítulo 5) sugiere que a los trabajadores les podría interesar limitar sus decisiones en cuestiones de seguridad. Igual que en el hockey, en la vida el resultado depende muchas veces de la posición relativa. Dado que una «buena» escuela es, inevitablemente, un concepto relativo, el esfuerzo de las familias por ofrecer una educación mejor a sus hijos se parece mucho a la lucha del deportista por obtener una ventaja competitiva. Las familias intentan comprar una casa en los mejores distritos escolares que sus ingresos les permiten, pero, si todas las familias pagan más, al final lo único que consiguen es que suban los precios de las casas. La mitad de los niños seguirán teniendo que estudiar en el 50 por 100 de las escuelas de calidad inferior.

Los trabajos más peligrosos están mejor pagados porque los empleadores gastan menos en seguridad. Los trabajadores que aceptan esos trabajos obtienen una ventaja económica que les permite conseguir casas en distritos escolares mejores. Del mismo modo que los jugadores de hockey pueden verse forzados a prescindir del casco cuando su uso no es obligatorio, los trabajadores que tienen libertad para vender su seguridad a cambio de un salario mayor tal vez sean conscientes de que, a menos que corran riesgos, sus hijos irán a una escuela peor.[7] En ambos casos, cerrarse las puertas puede evitar una competición perversa de la que todos saldrían mal librados.

¿Por qué la Ley de Normas Laborales Justas obliga a los empleadores a pagar con un recargo todas las horas trabajadas fuera del horario habitual de cuarenta horas semanales?
(George Akerlof)

La Ley de Normas Laborales Justas exige a los empresarios que paguen por las horas extraordinarias una cantidad superior al valor de la hora ordinaria. Los economistas que defienden la libertad de mercado se oponen a esta exigencia aduciendo que muchas personas querrían trabajar las horas adicionales que ofrecerían los empleadores si no existiese este requisito legal. A causa de la desincentivación que supone este recargo, la mayoría de ellos limitan las horas extra a las necesidades de producción imprevistas, que son poco frecuentes. ¿Por qué la ley impide a empleados y empleadores suscribir contratos que ambos consideran beneficiosos?

Posiblemente, la razón de exigir a los empleadores que paguen un recargo por las horas extraordinarias se asemeja a la razón de obligar a las empresas a prevenir los riesgos laborales. Aunque un individuo pueda aumentar sus posibilidades de ascenso trabajando más horas, cuando los demás hacen lo mismo, las posibilidades de promoción que tiene cada uno acaban siendo prácticamente las mismas que al principio. Al final, la competencia febril entre los trabajadores degenera en que todos tienen que trabajar todas las tardes hasta las ocho para no quedarse atrás.[8]

Este problema no sólo se produce cuando se compite por un ascenso. Los incentivos individuales para trabajar horas extra pueden ser engañosos desde el punto de vista colectivo. Por ejemplo, cuando un individuo trabaja más horas, puede pagar una casa en un distrito escolar mejor; pero, cuando todos hacen horas extra, al final suben los precios de las casas en los mejores distritos escolares y nadie gana. Como dijimos antes, la mitad de los niños tienen que estudiar en el 50 por 100 de las escuelas de calidad inferior.

La mano invisible de Adam Smith se basa en el supuesto tácito de que lo que gana cada individuo depende sólo del esfuerzo absoluto. La realidad es muy distinta, pues muchas cosas en la vida dependen de la posición relativa.

¿Por qué las modelos esqueléticas no pueden participar en la semana anual de la moda de Madrid?

En septiembre de 2006, los organizadores de la semana anual de la moda de Madrid, conocida como Pasarela Cibeles, llegaron a un acuerdo con la Asociación de Creadores de Moda de España para prohibir que desfilasen modelos con un índice de masa corporal (IMC) igual o inferior a 18.[9] (Una modelo que mide 1,75 m tendría que pesar alrededor de 56 kilos para alcanzar un IMC de 18.) Los organizadores afirmaron su voluntad de que la Pasarela transmitiese «una imagen de belleza y salud». Sin embargo, es obvio que a los consumidores les gustan más las modelos extremadamente delgadas, pues, de lo

Foto de Bernat Armangue / AP

Modelos esqueléticas: ya no pueden desfilar en la Pasarela Cibeles durante la semana madrileña de la moda.

contrario, los diseñadores no las contratarían. Entonces, ¿por qué excluir a las modelos muy delgadas?

Los diseñadores creen, y el público parece estar de acuerdo, que la ropa sienta mejor a las modelos esbeltas. Eso significa que, hasta cierto punto, un diseñador puede obtener una ventaja competitiva contratando a modelos más delgadas. Para no quedarse atrás, los demás diseñadores se ven forzados a hacer lo mismo. El resultado es una carrera armamentista en que las modelos modifican sus hábitos de comida, a veces con grave riesgo para su salud. Una justificación admisible de la norma del IMC es que pone cierto límite a esta competición.

La ministra británica de Cultura, Tessa Jowell, alabó la medida tomada por Madrid y, aduciendo que sus efectos llegarían mucho más allá del sector de la moda, instó a los organizadores de la Semana de la Moda de Londres a adoptarla: «Las niñas desean tener el aspecto de las modelos de las pasarelas. Si las modelos están enfermizamente delgadas, ellas se sienten inducidas a pasar hambre hasta parecérseles».[10]

¿Por qué la mayoría de los estados obligan a que los niños comiencen el colegio a la misma edad?

Las leyes de la mayoría de los estados estipulan que los niños deben iniciar la educación primaria a los seis años. Sin embargo, a esa edad existen enormes diferencias en los niveles de madurez física, intelectual y emocional. ¿Por qué no dejan los estados que los padres decidan cuando consideran que sus hijos están preparados para ir al colegio?

Supongamos que la mayoría de los niños empiezan la escuela a los seis años y cualquier pareja tiene la posibilidad de retrasar un año la entrada de un hijo de esta edad. Si empieza el primer curso a los siete años, será más grande, fuerte, inteligente y maduro que sus compañeros. Dado que, en la escuela, todos los resultados son relativos, el niño tendrá más posibilidades de sacar buenas notas, destacar en las actividades deportivas y ocupar los primeros puestos en las organizaciones escolares. En resumen, entraría en una dinámica que facilitaría su acceso a una universidad de élite.

El problema es que, cuando un individuo avanza en términos relativos, los demás también lo hacen. Habría padres ambiciosos que sentirían la necesidad de dejar en casa un año más a sus hijos de seis años. Por muy ambiciosos que fuesen los padres, no mantendrían a sus hijos en casa indefinidamente. Con todo, no sería extraño que, en los estados que permitiesen decidir a los padres, la media de edad en el primer curso de primaria fuese de ocho o nueve años. Puesto que, desde el punto de vista colectivo, no es beneficioso que todos los niños comiencen la escuela más tarde, la mayoría de los estados han decidido tomar ellos esta decisión y no dejarlas en manos de los padres.

La falta de coincidencia entre los incentivos individuales y los colectivos no es, desde luego, la única razón por la que los países regulan los actos de los ciudadanos. Por ejemplo, muchos han considerado que, en cuestiones de seguridad, los individuos suelen carecer de la información, cuando no de la precaución, necesaria para tomar decisiones inteligentes.

A menudo, este tipo de legislación paternalista suscita polémica. Sin embargo, es más probable que sea bien acogida cuando afecta a la seguridad infantil, pues la mayoría de los adultos consideran que los niños no están preparados para tomar ellos solos decisiones inteligentes en estas cuestiones. No obstante, en los ejemplos siguientes veremos que el principio del coste-beneficio sigue desempeñando un papel central en las decisiones sobre la forma concreta que deben adoptar este tipo de normas.

*¿Por qué en los coches los asientos de seguridad para niños
son obligatorios y en los aviones no?* (Greg Balet)

El estado nos obliga a que, cuando cogemos el coche, incluso
para ir al supermercado del barrio, nuestro hijo vaya bien sujeto en un asiento de seguridad homologado. Sin embargo,
cuando volamos de Nueva York a Los Ángeles, podemos llevar
a nuestro hijo de menos de dos años en el regazo sin sujeción
alguna. ¿A qué se debe esta diferencia?

Algunas personas la han atribuido a que, si el avión se estrella, vamos a morir de todos modos, tengamos puesto el cinturón o no. Eso es verdad, pero, aparte de un accidente, pueden ocurrir muchas otras cosas—por ejemplo turbulencias
fuertes—en las que resulta muy conveniente estar bien sujeto.

Una explicación más admisible puede partir de la constatación de que, una vez comprado el asiento de seguridad, colo-
carlo atrás y sujetar bien al niño no tiene ningún coste porque
suele haber sitio suficiente. Dado que el coste marginal es
nulo y el beneficio marginal es la mayor seguridad de nuestro
hijo, dejar a éste bien sujeto cuando vamos en coche tiene mucho sentido. En cambio, si volamos de Nueva York a Los Ángeles, para llevar a nuestro hijo en un asiento de seguridad
tendríamos que comprar un billete más que podría costar
1.000 dólares (incluso con el descuento de fin de semana).

Puede que a la gente le resulte incómodo decir que es demasiado caro dar una mayor seguridad a su hijo en el avión,
pero ésa es la realidad. De modo que, en lugar de pagar 1.000
dólares más por otro asiento, lo sujetan bien y confían en que
no ocurra nada.

Dibujo de Mick Stevens

*El coste de oportunidad de utilizar un asiento de seguridad
es mucho menor en un coche que en un avión.*

*¿Por qué es obligatorio el cinturón de seguridad en los coches,
pero no en los autobuses escolares?* (Carole Scarzella,
Tanvee Mehra, Jim Siahaan y Sachin Das)

En todo Estados Unidos, salvo en el estado de New Hamp-
shire («¡Vivir libre o morir!»), la ley obliga a que el conductor
y los demás ocupantes de un automóvil lleven puesto el cinturón de seguridad. En cambio, sólo en cuatro estados (Nueva
York, Nueva Jersey, Florida y California) es obligatorio que
todos los autobuses nuevos estén dotados de cinturones de seguridad. ¿A qué se debe esta diferencia?

Según la Dirección General de Seguridad Vial, el uso del cinturón de seguridad en los vehículos salva cada año más de 12.000 vidas.[11] Teniendo en cuenta que todos los años se producen más de 40.000 víctimas mortales en accidentes de tráfico, se trata de una reducción enorme. Sin embargo, aunque una octava parte de las víctimas son menores de diecinueve años—más de 5.000 cada año—, el porcentaje de niños muertos en autobuses escolares es muy inferior, con una media de 10,2 muertos anuales entre 1990 y 2000. Un estudio realizado en 2002 por el Consejo Nacional de Investigación revela que ir al colegio a pie, en bicicleta o en coche supone un riesgo mucho mayor que ir en autobús escolar. Liz Neblett, de la Dirección General de Seguridad Vial, señaló que los autobuses escolares disponen de asientos perfectamente compartimentados con respaldos amortiguadores y que, por tanto: «Un autobús escolar sujeta a los niños como si fuesen huevos en una huevera. Es el medio de transporte por carretera más seguro».[12]

El coste de poner cinturones de seguridad en un autobús escolar normal se calcula en unos 1.800 dólares. Algunos estudios indican que se salvarían muchas más vidas si se invirtiese esa misma cantidad en mejorar la seguridad de los pasos de peatones que se encuentran próximos a las paradas de los autobuses escolares.

¿Por qué las embarcaciones deportivas están dotadas de un equipamiento de seguridad más limitado que el de los automóviles? (Peter Gyozo)

Las leyes estadounidenses obligan a que casi todos los automóviles dispongan de sendos *airbags* laterales para el conductor y el copiloto, cinturones de seguridad con tres puntos de sujeción y sistemas de amortiguación que ayuden a absorber las fuerzas destructivas generadas por una colisión a gran velocidad. ¿Por qué la ley no impone sistemas similares en las embarcaciones deportivas?

Normalmente, quienes navegan en barcos conducen también coches. Desde el punto de vista del individuo y el legislador racionales, el criterio para optimizar la inversión en seguridad es que el último dólar gastado en seguridad en ambos tipos de vehículos debe producir un incremento similar en la probabilidad de sobrevivir. (Supongamos que el último dólar que gasta el propietario de un barco en el equipamiento de seguridad de su coche proporcionase un incremento en probabilidad de supervivencia menor que el último dólar gastado en el equipamiento de seguridad de su barco. Podría aumentar su probabilidad de supervivencia quitando un dólar de la seguridad del coche y poniéndolo en la del barco.)

Por diversas razones, un elemento de seguridad cualquiera suele aprovecharse más en un coche que en un barco. Más importante aún es el hecho de que, normalmente, los conductores pasan al volante cientos de horas al año, mientras que muy pocos propietarios de barcos, especialmente en los climas septentrionales, navegan más de cuarenta horas anuales. El coste de incorporar un dispositivo de seguridad es el mismo, independientemente del número de horas de conducción o navegación. Por tanto, el número de vidas que salva un dispositivo de seguridad suele ser mucho mayor en un coche que en un barco. (Adviértase el parecido que guarda esta explicación con la del capítulo 1 acerca de por qué tiene más sentido una luz en la nevera que en el congelador.)

Asimismo, los sistemas de seguridad no desempeñan un papel tan importante en los barcos porque las rutas marítimas, en general, no suelen tener tanto tráfico como las terrestres y porque los barcos navegan a una velocidad media muy inferior a la de los coches. Es habitual que, en los puertos, canales y otras zonas de mucho tráfico marítimo, el límite de velocidad sea de 5 nudos, una velocidad a la que las colisiones rara vez causan daños a las personas.

La cuestión no es que navegar esté libre de riesgos. En Estados Unidos mueren cada año más de ochocientas personas en accidentes de navegación deportiva. Además, los propietarios de embarcaciones de recreo, por ley, están obligados a invertir en determinados elementos de seguridad de los que se sabe que influyen sobremanera en las probabilidades de supervivencia de los navegantes. La mayoría de los estados, por ejemplo, exigen que los barcos dispongan de un dispositivo personal de flotación homologado por el Servicio Guardacostas por cada persona que suba a bordo. La cuestión es que viajar en coche es mucho más peligroso que navegar en barco y, por tanto, lo razonable desde el punto de vista económico es invertir más en sistemas de seguridad para coches.

Una influyente escuela de pensamiento económico sostiene que la ley evoluciona de forma eficiente.[13] Una ley eficiente se define como aquella que maximiza la riqueza de los miembros de una sociedad. El interés de esta idea es que, si hubiese dos formas alternativas de redactar una ley, una de las cuales fuera más eficiente, sería posible llegar a un acuerdo por el que, con la ley eficiente, todos estarían mejor de lo que estarían con la ineficiente.

Supongamos que una de las alternativas legales incrementa la riqueza total de los consumidores en tres mil millones de dólares y no afecta a la riqueza de los fabricantes, mientras que la otra aumentaría la riqueza de los fabricantes en mil millones de dólares y no afecta a los consumidores. La primera alternativa es la eficiente porque da lugar al mayor aumento total de riqueza.

Ahora, pensemos en lo que ocurriría si los fabricantes tuviesen poder político para imponer la segunda alternativa. Los defensores de la hipótesis de la eficiencia legal sostienen que los fabricantes preferirían utilizar ese poder para obtener ventajas fiscales suficientes como para compensar los mil millones de dólares que perderían aceptando la versión eficiente de la ley.

Una escuela rival de pensamiento reconoce la fuerza de este argumento pero hace hincapié en que, en la práctica, suele ser difícil llevar a cabo las negociaciones necesarias para obtener resultados eficientes. En consecuencia, a veces las leyes y reglamentos se aprueban, no porque fomenten la eficiencia, sino porque favorecen a un determinado grupo de interés con mucho poder.

Como sugieren muchos de los ejemplos anteriores, la tesis de que los procesos legales son eficientes tiene fundamento. No obstante, la perspectiva de los intereses particulares no carece de poder explicativo.[14]

¿Por qué la ley permite conducir comiendo una hamburguesa o bebiendo café, pero prohíbe utilizar el teléfono móvil?
(Evan Psaropoulos)

Ciertos estudios prueban que hablar por teléfono móvil mientras se conduce aumenta la probabilidad de tener un accidente.[15] Por eso, muchos estados lo han prohibido, aunque algunos han exceptuado los móviles dotados de auriculares que liberan las manos. Sin embargo, no es ilegal que los conductores realicen otras actividades que no parecen menos peligrosas, por ejemplo comer comida rápida, beber bebidas calientes, cambiar los CD e, incluso, maquillarse. Puesto que estas actividades ocupan la vista y las manos tanto como el uso del móvil, ¿por qué no son ilegales?

Una posible razón es que hablar por teléfono distrae más que otras actividades. Cuando un conductor mantiene una conversación, quizá su atención disminuye mucho más que cuando come una hamburguesa. Sin embargo, hablar con el resto de ocupantes del coche sigue siendo legal. Hay quienes sostienen que hablar por teléfono distrae más que hablar con los ocupantes porque éstos pueden saber cuándo las circunstancias del tráfico aconsejan interrumpir la conversación. No obstante, dado que los legisladores de la mayoría de los estados siguen permitiendo el uso de móviles con auriculares, esta explicación parece insuficiente.

Cuando fracasan todos los intentos de explicar la lógica de una ley, un buen recurso es preguntarse por su repercusión en la renta de las personas que se ven afectadas por ella. Si los legisladores prohibiesen a los conductores beber café y comer hamburguesas, las ventas de los restaurantes de comida rápida caerían en picado. Quizá teman que, si promulgan esa ley, las empresas respondan suprimiendo las aportaciones a sus partidos. En el caso de la prohibición de conducir hablando por teléfono, no corren ningún riesgo porque, gracias a la excepción de los auriculares, los proveedores de telefonía inalámbrica siguen vendiendo tantos contratos como antes. De hecho, quizás aumenten sus beneficios vendiendo más auriculares.

Otro factor digno de tenerse en cuenta es que conducir comiendo es una práctica que se extendió mucho antes de que la sociedad comenzase a regular la conducta personal con normas de seguridad específicas. Por eso, es posible que a los legisladores les resulte más tentador centrarse en actividades peligrosas de reciente aparición como hablar por teléfono móvil. De nuevo, la historia importa.

¿Por qué el uso de detectores de radar no es ilegal en todo Estados Unidos, sin exceptuar ningún estado?
(Matt Rosedale)

En todas las jurisdicciones de Estados Unidos existen límites de velocidad en carretera porque la gente considera que permitir a los conductores circular a la velocidad que quieran supondría un riesgo inaceptable para la seguridad pública. Una ley de ámbito nacional prohíbe el uso de detectores de radar en vehículos dedicados al transporte interestatal de mercancías, pero sólo Virginia y Columbia prohíben su uso en vehículos de pasajeros. Dado que los ciudadanos, aunque sea a regañadientes, aceptan que haya límites de velocidad, ¿por qué los legisladores de tantos estados siguen permitiendo un aparato cuya única función es hacer posible que los conductores no respeten dichos límites?

En realidad, los parlamentos estatales han intentado muchas veces aprobar leyes para prohibir los detectores de radar. Según la Asociación de Radio para la Defensa de los Derechos de las Ondas Aéreas (RADAR), un grupo de presión que defiende el uso de estos aparatos, en los últimos años han fracasado los más de 110 intentos de prohibirlos que han realizado los parlamentarios de 33 estados.[16] Por tanto, una explicación posible de que los detectores de radar sean legales es que a unos cuantos agentes económicos (las empresas que comercializan estos aparatos) les interesa mucho presionar para que no se prohíban.

En cambio, los ciudadanos no tienen un interés claro en estas prohibiciones. A pocos consumidores les preocupa tanto este problema como para escribir sobre él a sus representantes electos, y mucho menos realizarían o suprimirían aportaciones significativas a los partidos por este motivo.

Además, muchos conductores no parecen estar convencidos de que los detectores de radar deberían ser ilegales. Por ejemplo, las encuestas revelan invariablemente que más del 90 por 100 de los conductores se consideran mejores que la media.[17] (Los psicólogos llaman a este fenómeno «efecto del lago Wobegon», en referencia a la mítica ciudad de la región central estadounidense donde, según Garrison Keillor: «Todos los niños están por encima de la media».) Por eso, probablemente la mayoría de los conductores piensa que, aunque los límites de velocidad son una protección necesaria contra la incompetencia de otros conductores, ellos pueden correr sin poner en peligro a nadie. Ciertamente, casi todos los conductores parecen estar más que dispuestos a exceder, siempre que pueden, el límite de seguridad señalizado. Por ejemplo, en las autovías interestatales donde el límite señalizado es de 105 kilómetros por hora, muchos conductores ajustan el limitador de velocidad de sus coches a 119 kilómetros por hora, pues alguien que conoce a un agente estatal les ha dicho que la policía sólo multa a quienes exceden el límite en más de 15 kilómetros por hora. No es extraño que a los estados les haya resultado tan difícil hasta el momento prohibir los detectores de radar.

Los dos últimos ejemplos de este capítulo tratan de cómo los principios económicos afectan a la configuración de las leyes cuyo objetivo es proteger a los consumidores de los abusos de las empresas con mucho poder de mercado. Los dos se centran en el negocio del transporte en taxis en Nueva York, donde el gobierno municipal ha creado un monopolio legal mediante la prohibición de que circulen taxis que no hayan pagado un «medallón» o licencia de taxi. En parte para reducir la congestión de tráfico, esta ciudad sólo concede un número limitado de licencias, por lo que, en sus calles, hay menos taxis de los que habría si el mercado no estuviese regulado.

Una de las consecuencias de esto es que los titulares de las licencias gozan de un poder de mercado que, de no ser controlado, les permitiría cobrar tarifas muy superiores al coste de transportar a los pasajeros. Por eso, es habitual que las ciudades no se limiten a regular el número de taxis que pueden circular, sino también las tarifas que pueden cobrar. Aparte de proteger a los consumidores de los abusos, con esta regulación pretenden fomentar la eficiencia de las decisiones sobre el uso del taxi.

¿Por qué las tarifas de los taxis tienen un componente fijo
y otro variable, en lugar de cobrar más por cada kilómetro
de recorrido? (Mario Caporicci)

De acuerdo con las tarifas oficiales de 2006, los taxis están auto-
rizados a cobrar a los pasajeros una cantidad fija de 2,5 dólares
por la bajada de bandera, 40 céntimos por cada milla (25 céntimos por kilómetro) y 40 céntimos por cada dos minutos de
parada. En las demás ciudades del mundo suele haber regí-
menes tarifarios similares. ¿Por qué las comisiones regula-
doras no adoptan un sistema, aparentemente más simple, en el
que no haya ningún importe fijo y los kilómetros y tiempos de
espera sean más caros?

Dado que, en ambos casos, los taxistas utilizarían un taxímetro electrónico para calcular el importe total del trayecto,
en realidad no les resultaría más sencillo establecer las tarifas
sólo en función de los kilómetros recorridos. Una justificación
más admisible de la actual estructura de precios es su mayor
eficiencia respecto de los sistemas alternativos.

Para poder seguir funcionando, los taxistas tiene que cubrir todos sus costes. Parte de ellos son más o menos proporcionales al número de kilómetros realizados (por ejemplo
combustible, mantenimiento y desgaste), pero otros muchos no.
El coste de oportunidad del dinero invertido en el vehículo es
fijo, no depende del kilometraje. Lo mismo ocurre con el gasto en seguros. Asimismo, en las ciudades donde la licencia es
obligatoria, el precio que ésta alcanza en el mercado es también un coste fijo. (Las licencias de los taxis neoyorquinos se
cotizan actualmente a más de 300.000 dólares.)

La estructura de precios más eficiente es aquélla que indu-
ce a los clientes a ajustar todo lo posible sus decisiones sobre
el uso del taxi a los costes *adicionales* que soportan los taxistas
a causa de dicho uso. Si un taxista tuviera que cubrir todos sus
costes con una tarifa que sólo dependiese del número de kilómetros recorridos, ésta sería de varios dólares por kilómetro.

Una tarifa así haría que muchas personas prescindiesen del taxi para trayectos largos y, en consecuencia, los taxistas perdiesen muchos clientes que estarían dispuestos a pagar más del coste adicional del servicio prestado.

Un sistema tarifario con una parte fija y otra variable reproduce con mayor fidelidad la estructura real de los costes que soportan la mayoría de los taxistas. Al hacer posible que el precio por kilómetro sea más bajo de lo que sería con otros sistemas, permite que los viajeros que realizan trayectos largos no tengan que pagar mucho más de lo que realmente cuestan dichos trayectos. Por tanto, con este sistema es menos probable que un cliente renuncie a un recorrido largo cuyo beneficio es superior al coste real.

¿Por qué la tarifa de taxi entre el aeropuerto John F. Kennedy (JFK) y cualquier punto de Manhattan es una cantidad fija (45 dólares), mientras que los precios de casi todos los demás trayectos en Nueva York se calculan con taxímetro?
(Travis Murphy Parsons)

Dependiendo de la densidad del tráfico, las tarifas desde el aeropuerto JFK hasta diferentes puntos de Manhattan varían entre 30 y 70 dólares si se calculan con la fórmula que la normativa obliga a aplicar en casi todos los trayectos intraurbanos. Entonces, ¿por qué la comisión reguladora ha establecido una tarifa fija de 45 dólares entre JFK y Manhattan?

El aeropuerto JFK es una de las principales puertas de entrada a Estados Unidos. Dado que el turismo es un sector fundamental en Nueva York, a esta ciudad le interesa mucho asegurarse de que los visitantes recién llegados tengan una buena experiencia. Muchos de ellos no hablan bien inglés y, por tanto, son especialmente vulnerables en las transacciones comerciales, entre ellas las que realizan con los taxistas. Para evitar que los turistas y demás viajeros inexpertos se preocupen de si el taxista da un rodeo o intenta cobrar más de lo debido recurriendo a algún otro procedimiento, la Comisión del Servicio del Taxi y Limusina de Nueva York ha estipulado una tarifa fija para el trayecto entre JFK y Manhattan.

DESCIFRAR LAS SEÑALES DEL MERCADO

Los economistas suelen presuponer que los individuos y las empresas poseen una información completa sobre los costes y beneficios que han de tener en cuenta para tomar sus decisiones. Lamentablemente, la realidad es que, incluso cuando tomamos decisiones importantes, estamos muy mal informados. No obstante, el principio de coste-beneficio sigue rigiendo en esos casos, es decir, actuar con información limitada suele ser mejor que incurrir en el gasto de informarnos a fondo.

Como muestra el primer ejemplo de este capítulo, quienes intentan informarse para tomar una decisión se encuentran a menudo con el obstáculo de que a las personas que poseen la información pertinente no les interesa revelarla.

¿Por qué los analistas financieros rara vez recomiendan vender un valor determinado? (Joseph Lucarelli)

Aunque, en conjunto, las bolsas aumentan de valor casi todos los años, los inversores ambiciosos intentan superar los principales índices, por ejemplo el Standard & Poors 500. Para ello, la mayoría dependen de las recomendaciones de los profesionales del análisis bursátil. Sin embargo, los estudios muestran que estas recomendaciones son pasmosamente parciales.[1] Por ejemplo, de las 28.000 recomendaciones sobre empresas estadounidenses que realizaron los agentes de bolsa en el año 2000, más de un 99 por 100 eran «compra agresiva», «comprar» o «mantener».² Los analistas recomendaron vender las acciones de empresas determinadas en menos de un 1 por 100 de ocasiones. No obstante, gran parte de los valores de empresas estadounidenses bajaron en ese año, muchos de ellos en más de un 50 por 100. ¿Por qué las recomendaciones de los analistas toman un sesgo tan marcado hacia comprar?

Es tentador responder que, en el año 2000, los analistas fueron víctimas de la misma «euforia irracional» que invadió a casi todos los inversores durante los últimos años de la década de los noventa, en la cual la bolsa experimentó subidas espectaculares. Pero los estudios realizados muestran que este sesgo optimista de las recomendaciones de los analistas se ha producido otros años también.

Una explicación admisible de este sesgo se basa en el análisis de los costes y beneficios que sopesa un analista cuando formula sus recomendaciones. Supongamos que una acción está siendo estudiada por cinco analistas diferentes. Todos quieren emitir una predicción exacta de la evolución del precio de la acción durante los próximos meses, pero asimismo quieren mantener una buena relación con la empresa que evalúan, a menudo un cliente actual o potencial de sus empleadores.

Si tenemos en cuenta todos los factores relevantes, vemos que a la analista le interesa mucho considerar las posibles recomendaciones de los otros cuatro analistas antes de emitir la suya. No hay que olvidar que el coste de la equivocación depende hasta cierto punto de las recomendaciones que hacen los demás. Ella parte de la base de que, probablemente, dichas recomendaciones van a estar como mínimo un poco sesgadas a favor de comprar, ya que a los empleadores de los analistas les interesa congraciarse con las empresas evaluadas. En el límite, si los cinco recomiendan comprar y, luego, baja el valor bursátil de la empresa, la analista sabe que, por ser general el error predictivo, no se expone en exceso a ser censurada.

En cambio, si recomienda vender mientras que los otros

cuatro recomiendan comprar y, luego, la acción sube, su fracaso será triple. No sólo es errónea su predicción, sino que su error sobresale entre los aciertos de los demás. Para mayor escarnio, su empleador perderá el favor de un cliente potencial.

En estas circunstancias, lo menos arriesgado para un analista es sumarse a las recomendaciones que espera que hagan los demás analistas. Cada uno sabe que, igual que a su propio jefe, a los jefes de los demás analistas les interesa que se recomiende comprar. Además, sus colegas están prediciendo no sólo la tendencia de la acción, sino también las recomendaciones de los demás analistas. No es de extrañar, por tanto, que la recomendación más segura sea la compra. El resultado, como descubren tarde o temprano los inversores cautos, es que una recomendación de compra no transmite información valiosa sobre el valor futuro de una acción.

No es raro, sino todo lo contrario, que las partes de una transacción comercial tengan intereses enfrentados al menos en potencia. El vendedor quiere que el comprador revele cuánto está dispuesto a pagar y el comprador, temiendo que el vendedor le cobre de más, intenta ocultar su entusiasmo. Asimismo, el comprador quiere saber si el producto que le interesa es bueno, pero el vendedor, aunque lo sabe, no es probable que saque a la luz sus defectos. Dada la situación, ¿cómo es posible obtener información fiable antes de decidir?

Los biólogos se han servido de principios económicos básicos para intentar responder a esta pregunta en relación con animales cuyos intereses están en conflicto. Por ejemplo, cuando dos perros quieren el mismo hueso, les interesa mucho averiguar cuán temible es su rival antes de decidir si van a pelear. El hecho de que sus adversarios no puedan afirmar lo fuertes que son no importa, pues las aseveraciones del tipo: «¡Soy temible! ¡No te conviene pelear conmigo por este hueso!» carecerían de credibilidad.

Ante esta situación, los perros recurren implícitamente al «principio de que es caro aparentar», según el cual una señal entre dos adversarios potenciales no es creíble a menos que sea caro (o, como mínimo, difícil) aparentarla.[3] El tamaño es un ejemplo de esto, pues cuanto más grande es un perro, más temible es como adversario. Cuando un perro se enfrenta a un rival considerablemente más grande, es probable que ceda. Sin embargo, cuando su contrincante es claramente más pequeño, está más dispuesto a pelear.

En situaciones como éstas, los perros hacen todo lo posible por parecer más grandes de lo que son. Cuando se enardecen, los minúsculos músculos lisos que rodean los folículos pilosos del lomo se contraen instantáneamente y los pelos de esa zona se erizan. Aunque esta táctica les permite aparentar un tamaño mayor, la selección natural se ha encargado de que la apliquen todos los perros que han sobrevivido, por lo que ya no engaña a nadie. Los perros que parecen más grandes, aunque tengan el pelo erizado, son más grandes.

Asimismo, el principio de que es caro aparentar explica por qué el polluelo que más chilla tiene más probabilidades de que sus padres le den el gusano que traen al nido. A cada cría le interesa comer lo máximo posible y, por eso, pía alto para indicar que tiene hambre. Podría pensarse que, como sus hermanos emplean la misma táctica, la señal no aporta mucha información. Sin embargo, se han realizado experimentos que muestran que los polluelos más hambrientos son capaces de piar más alto que los demás. Aquí, la motivación cuenta mucho, y el hambre voraz proporciona la motivación necesaria para emitir los chirridos de más decibelios.

El principio de que es caro aparentar se aplica también a los mensajes que emiten los adversarios potenciales en diversas situaciones mercantiles.

¿Por qué a veces los fabricantes incluyen la frase: «Anunciado en televisión» en envases y anuncios impresos? (Joan Moriarty)

En ocasiones, los fabricantes que anuncian sus productos en televisión parecen tener mucho interés en que esta circunstancia no pase inadvertida a los compradores potenciales. A tal efecto, insertan a menudo la frase: «Anunciado en televisión» en los anuncios de periódicos y revistas, así como en los envases. ¿Qué les importa a los compradores que un producto haya sido anunciado en televisión?

Poner un anuncio en televisión puede resultar exorbitantemente caro. En algunas franjas horarias, un anuncio de treinta segundos cuesta más de 2,5 millones de dólares. Obviamente, los espacios publicitarios que venden las televisiones no siempre se cotizan a esos precios. No obstante, hasta los anuncios de madrugada de las televisiones por cable suelen costar mucho más caros que los anuncios en medios impresos o radiofónicos. Por tanto, la pregunta puede reformularse del siguiente modo: ¿Por qué tienen tanto interés los fabricantes en que la gente sepa que han invertido mucho dinero para que los compradores potenciales se fijen en sus productos?

La clave para responder a esta pregunta es que el dinero en publicidad rinde más si el producto es bueno que si es malo. Lo más que puede hacer un anuncio es incitar a los compradores potenciales a probar el producto. Sólo si lo hacen y les gusta, el anuncio ha valido para algo, pues, entonces, es probable que vuelvan a comprarlo y hablen de él a sus amigos. En cambio, si los consumidores prueban el producto y quedan defraudados, no lo vuelven a comprar y, probablemente, no lo van a recomendar a sus amistades. En este último caso, el dinero gastado en publicidad no habrá servido para mucho.

Dado que los fabricantes suelen hacer abundantes pruebas con el público objetivo antes de sacar los productos al mercado, pueden pronosticar con un grado de certeza razonable qué productos van a gustar más a los consumidores. Por tanto, cuando

Dibujo de Mick Stevens

¿Debería importarle esto a alguien?

una empresa decide invertir sumas cuantiosas en publicitar un producto, es razonable que los compradores potenciales infieran que ésta tiene muchos motivos para esperar que les guste. De lo contrario, no le merecería la pena gastarse tanto dinero en publicidad. Por eso, no es extraño que a muchos fabricantes les interese que sepamos que han anunciado sus productos en televisión, el medio de comunicación más caro de todos.

¿Por qué los abogados se gastan más en ropa y coches que los catedráticos de universidad que ganan lo mismo?

Cuanto más ganan las personas, más suelen gastar en casi todas las categorías de consumo. Los coches y la ropa no son una excepción. Los ricos gastan mucho más que los pobres en estos dos tipos de artículos. Sin embargo, el nivel de ingresos no es el único factor que influye en estos gastos. Por ejemplo, es habitual que un abogado gaste más en ropa y coches que un catedrático de universidad con salario y gustos similares. ¿A qué se debe esta diferencia?

Como hemos dicho, existe una correlación positiva entre el nivel de ingresos de una persona y su nivel de gasto. Asimismo, en mercados laborales competitivos, la capacidad de una persona es directamente proporcional al salario que percibe. Si juntamos estas dos correlaciones, podemos inferir que la capacidad de las personas y su gasto en ropa y coches son correlativos. Por tanto, es posible hacerse una idea de la capacidad de una persona viendo la ropa que lleva y el coche que conduce.

Esta idea es más acertada en algunas profesiones y menos en otras. Por ejemplo, los abogados competentes son muy buscados y cobran elevados honorarios, mientras que los mejores catedráticos de universidad no suelen ganar mucho más que sus colegas menos aptos. Por eso, las diferencias en el gasto en ropa y coches constituyen indicios más fiables de las diferencias subyacentes en capacidad en el caso de los abogados que en el de los catedráticos. Un cliente que busca un abogado hábil tiene motivos para pensárselo dos veces antes de contratar a un abogado que conduce un Chevrolet Geo Metro de diez años y medio oxidado. En cambio, no hay ningún motivo para que un estudiante dude de la capacidad de un profesor de química que conduce ese mismo coche.

Si el coche que conduce un abogado da una señal, por débil que sea, de su competencia a los clientes potenciales, es inevitable que intente manipular esa señal comprando un coche mejor del que compraría si no la diese. Al final de la subsiguiente carrera de gasto, los abogados más competentes seguirán teniendo, de media, los coches más caros. Pero muchos acabarán gastando más de lo que quisieran. En resumen, los abogados tienen más presión para gastar en ropa y coches porque

Dibujo de Mick Stevens

La ropa es una señal más importante de habilidad en unos trabajos que en otros.

pagan más caras las señales equívocas acerca de su competencia. Un abogado que no gastase tanto como sus colegas parecería menos apto de lo que es, igual que un perro al que no se le erizase el pelo del lomo antes de una pelea no aparentaría su tamaño.

En cambio, ninguno de los objetivos profesionales que realmente interesan a los catedráticos se haría más asequible si éstos gastasen más en ropa o coches. A ellos les importa publicar sus artículos en revistas de prestigio y obtener las becas que solicitan. Normalmente, las personas que toman estas decisiones no tienen ni idea de cómo viste o qué coche conduce un catedrático.

¿Por qué en la ciencia económica abundan las fórmulas matemáticas?

En economía, la utilización de modelos matemáticos formalizados, además de tener una historia larga y excelsa, ha permitido comprender mucho mejor cómo funcionan los mercados. Sin embargo, el nivel de formalismo matemático en economía se ha disparado a partir de la década de los cincuenta, a tal punto que muchas personas, incluidos los propios economistas, consideran que es excesivo. ¿Se han pasado de la raya los economistas con las matemáticas?

La avalancha de formalismo matemático ha coincidido con la intensificación de la competencia en la obtención de los puestos académicos. En una profesión que valora el rigor conviene dar la impresión de ser más riguroso que el otro candidato. Formular y manejar modelos matemáticos complejos no es algo que puedan hacer las mentes poco lúcidas. Si un candidato es capaz de hacerlo, da una muestra verosímil de su habi-

---

Dada esta elección de $f(p, q; \alpha)$, la densidad de las personas empleadas el día de la encuesta puede escribirse, utilizando la ecuación (8) del epígrafe anterior, del siguiente modo:[4]

$$(30) \quad g(p,q) = \frac{\frac{p}{p+q}}{E(R)} f(p,q) = \frac{k}{E(R)} q^{\alpha_1 - 1}(1-q)^{\alpha_2 - 1} p^{\alpha_3}(1-p)^{\alpha_4 - 1},$$

donde el hecho de que $\int_p \int_q g(p,q) = 1$ puede utilizarse para determinar que

$$(31) \quad E(R) = \frac{\dfrac{\alpha_3}{\alpha_3 + \alpha_4}}{\dfrac{\alpha_1}{\alpha_1 + \alpha_2} + \dfrac{\alpha_3}{\alpha_3 + \alpha_4}} = \bar{R}(\alpha).$$

Utilizando la ecuación (9), la densidad de las personas desempleadas el día de la encuesta puede escribirse del siguiente modo:

$$(32) \quad h(p,q) = \frac{\frac{q}{p+q}}{1 - E(R)} = \frac{k}{1 - E(R)} q^{\alpha_1}(1-q)^{\alpha_2 - 1} p^{\alpha_3 - 1}(1-p)^{\alpha_4 - 1}.^{11}$$

Siendo la densidad de la cohorte inicial:

$$(33) \quad m(p,q) = k^* q^{\alpha_1}(1-q)^{\alpha_2 - 1} p^{\alpha_3}(1-p)^{\alpha_4 - 1},$$

Formalismo matemático en economía: lo mejor, ¿enemigo de lo bueno?

lidad. Por eso, a los candidatos les interesa claramente invertir tiempo y esfuerzo en perfeccionar sus conocimientos matemáticos.

Pero, una vez más, la fuerza de una señal depende del contexto. A medida que aumenta el nivel de formalismo en los escritos de los economistas, se eleva también el umbral a partir del cual se percibe la señal de capacidad intelectual. Al final, esta carrera armamentista puede dar lugar a un formalismo excesivo.

El nivel de formalismo matemático en economía llega a ser excesivo por la misma razón por la que la gente suele hablar más alto en un cóctel. En un lugar lleno de gente donde hay mucho ruido, es necesario levantar la voz para que a uno lo oigan. Pero, si todos hablan más alto, aumenta el nivel de ruido de la sala y hay que hablar aún más alto.

¿Por qué los catedráticos de humanidades, que deberían poseer un dominio del lenguaje muy superior a la media, escriben a menudo con tan poca claridad?

La capacidad de expresión de los miembros de la mayoría de los grupos humanos varía enormemente. Esto también sucede entre los políticos, cuyo éxito depende en gran medida de dicha capacidad. Algunos, como Bill Clinton, son modelos de claridad, mientras que otros, como George Bush, hablan de forma confusa y es difícil entenderlos. En cambio, existen grupos en los que esta variación apenas se da. Por ejemplo, es muy difícil que alguien llegue a ser catedrático de humanidades si no demuestra una facilidad prodigiosa para el lenguaje escrito y oral. No obstante, abundan los ejemplos de pasajes casi ininteligibles en los escritos de estos profesionales. Ejemplo de ello es el siguiente pasaje, titulado «Estrategias tácticas de la prostituta callejera», escrito por Maria Lugones:

Me propongo adoptar estrategias tácticas al avanzar hacia el desbara-
tamiento de la dicotomía en tanto que crucial para una epistemolo-
gía de la resistencia/liberación. Esto supone aceptar la disgregación
de la colectividad concomitante con la fragmentación social y teori-
zar la orientación en sus peligros sin por ello abrazar su lógica.[5]

Tal vez la mayoría de los catedráticos de universidad son capaces de descifrar este pasaje sin dificultad, pero una encuesta informal revela que casi todas las demás personas son incapaces.
¿Por qué los catedráticos de humanidades escriben tan a menudo de una forma ininteligible para un lector normal y corriente?

Una hipótesis es que las formas que adopta el discurso de
humanidades son el resultado de unas fuerzas similares a las
que conforman el discurso económico. Igual que a un economista le interesa parecer riguroso en comparación con los candidatos que compiten por el mismo puesto, a un profesor de
humanidades le conviene parecer erudito. En una hipotética
situación inicial en que la mayoría de los profesores de humanidades hablasen y escribiesen con claridad, es fácil imaginar
que un profesor cualquiera podría obtener una ventaja salpi-
cando en sus escritos palabras o expresiones poco habituales.
Eso le permitiría dar la impresión de que habla con autoridad,
ya que, evidentemente, sabe algo que el lector desconoce.

Es obvio que esto no funcionaría si introdujese demasiadas
palabras o expresiones desconocidas, pues, en ese caso, los lectores se quejarían de que su texto es ininteligible. Sin embargo,
a medida que los demás hiciesen las correspondientes demos-
traciones de erudición, los entendidos en la materia incluirían
gradualmente en su vocabulario muchas palabras y expresiones que antes eran desconocidas. Entonces, un individuo que
quisiera poner de manifiesto su erudición se vería obligado a ir
algo más allá y, poco a poco, la norma de inteligibilidad entre
los profesionales de la materia comenzaría a desplazarse. Cuando se calmasen las cosas—si es que llegan a calmarse—, no se-

ría raro que los escritos de los catedráticos de humanidades se pareciesen bien poco al lenguaje escrito habitual.

Se dice a veces que hay dos tipos de compradores en el mercado, los que no saben lo que están haciendo y los que no saben que no saben lo que están haciendo. En algunas ocasiones, los primeros pueden limitar sus pérdidas siendo conscientes de cómo repercute la falta de información en las conexiones observables entre precio y calidad. En los dos ejemplos siguientes la información es asimétrica. El vendedor sabe mucho más que el comprador potencial sobre la calidad del producto. En ambos casos, el comprador tiene que inferir a partir del comportamiento observable del vendedor si el producto es más o menos bueno.

¿Por qué los coches «seminuevos» cuestan mucho menos que los coches nuevos? (George Akerlof)

Cuando un coche sale del concesionario, pierde un 20 por 100 o más de su valor de la noche a la mañana. Si tenemos en cuenta que los coches actuales suelen tener una vida útil de más de 300.000 kilómetros, ¿por qué unos pocos kilómetros en el cuentakilómetros hacen que caiga el precio del vehículo?

Una parte de esta caída se debe a la diferencia entre los precios al por mayor y al por menor. Cuando se vende un coche nuevo, el comprador paga el precio de venta al público, que puede llegar a ser un 15 por 100 superior a lo que el concesionario pagó por él. Cuando un particular compra un coche y decide venderlo inmediatamente, se convierte en un aficionado de la compraventa de coches. Obviamente, le gustaría vender el coche casi por el precio que él pagó. Pero compite con un gran número de profesionales de la compraventa que disponen de salones de exposición bonitos y bien iluminados y de vendedores y mecánicos cualificados. Dado que los concesionarios tienen más facilidad para atraer a las personas interesadas en comprar un coche, cabe esperar que lo que ofrecen los vendedores particulares se venda a precios más bajos.

Pero hay otra razón importante de que los coches seminuevos se vendan a precios mucho más bajos que los nuevos. Dadas las diferencias en los procesos de fabricación y montaje, no todos los coches son igual de fiables cuando salen de la cadena de montaje. A estas diferencias en fiabilidad se suman las diferencias en cómo cuidan los dueños sus vehículos. Aunque algunos coches seminuevos tengan un problema grave, ni siquiera un mecánico bien adiestrado puede detectarlo y diferenciar estos coches de los que están en perfectas condiciones. En consecuencia, el propietario de un coche usado suele saber mucho más de su vehículo que un comprador potencial.

Esta asimetría puede influir enormemente en los precios de los coches usados.[6] A modo de ejemplo, supongamos que, para una persona normal y corriente, un coche usado en perfecto estado vale 20.000 dólares y uno defectuoso 10.000 dólares; asimismo, supongamos que la mitad de los coches usados están bien y que, por tanto, el valor medio de los coches usados es de 15.000 dólares.

En estas circunstancias, el precio de los coches usados sería muy inferior a 15.000 dólares. Veamos por qué. Imaginemos que se vendieran a 15.000 dólares. ¿Qué tipo de coches usados se podrían en venta? Si, como hemos supuesto, las personas dan un valor de 20.000 dólares a los coches en buen estado, ningún propietario de uno de estos coches lo ofrecería a un precio inferior. En cambio, las personas a las que le falla el coche estarían encantadas de venderlo por 15.000 dólares, ya que, para ellas, su coche sólo vale 10.000 dólares. Eso significa que sólo saldrían al mercado de segunda mano los coches que están mal. La gente no querría comprar coches usados a menos que estuviesen muy rebajados.

En realidad, como sabemos, son muchos los motivos para

vender un coche usado que no tienen nada que ver con su estado. En esos casos, el vendedor trata de explicar las circunstancias que lo han obligado a poner en venta el vehículo: «Me han trasladado a Londres y tengo que vender mi ranchera Volvo», «Acabo de tener un hijo y tengo que vender mi Porsche Boxter»...

¿Por qué tienen tanto éxito las películas australianas?

¿Qué tienen en común los siguientes largometrajes? *Consejo de guerra, Picnic en Hanging Rock, La última ola, El amor está en el aire, Priscilla, reina del desierto, Mi brillante carrera, Mad Max, Gallipolli, Moulin Rouge, Walkabout, Lantana, Generación robada, El año que vivimos peligrosamente, La boda de Muriel, Shine* y *Cocodrilo Dundee.*

Todas estas películas están hechas en Australia y han atraído y gustado a muchos espectadores estadounidenses. Casi todas fueron rodadas con presupuestos modestos. Su éxito comercial fue muy superior a la media de las películas estadounidenses, que cuentan con presupuestos mucho mayores. ¿Por qué gozan de tanta popularidad las películas australianas proyectadas en Estados Unidos?

Hay quienes conjeturan que la cultura australiana favorece mucho más el impulso creador que la cultura estadounidense. Sin embargo, merece la pena considerar una explicación más sencilla, a saber: las películas australianas que se proyectan en las salas estadounidenses no constituyen una muestra representativa de la producción cinematográfica australiana en los últimos años.

Es más caro sacar una película al mercado estadounidense que a cualquier otro mercado. Sólo la publicidad suele costar decenas de millones de dólares. Los directivos de la industria cinematográfica no están dispuestos a invertir esas cantidades a menos que la película tenga muchas probabilidades de atraer al gran público. En la decisión de ver una película cualquiera intervienen muchos factores. En el momento de comprar una entrada, la fama del protagonista o del director puede ser determinante. Las continuaciones de películas taquilleras cuentan desde el principio con un público dispuesto a verlas. Además, las críticas favorables ayudan bastante. Sin embargo, lo que mueve a más espectadores es, posiblemente, que corra la voz de que la película merece la pena.

Cuando empezaron a proyectarse en Estados Unidos las películas australianas de la lista anterior, muy pocos aficionados al cine habían oído hablar de los directores y actores que trabajaban en ellas (aunque muchos, como Peter Weir y Mel Gibson, se han hecho un nombre en el mercado estadounidense). Tampoco se trataba de segundas partes.

Para conquistar el mercado estadounidense, su única baza era ser lo suficientemente buenas como para que la crítica las alabase y se corriera la voz. Por eso, es posible que a los estadounidenses les parezca que las películas australianas tienen un buen nivel de calidad porque, sencillamente, a las costas de Estados Unidos sólo llega lo más selecto de Australia.

A los problemas de decisión de las personas desinformadas se suma el hecho de que la información disponible no siempre es lo que parece. A veces, dicha información, valga la redundancia, no es muy informativa. Si en unas ocasiones ésta indica que la calidad es superior y, en otras, que es inferior, no se puede hacer mucho. Sin embargo, a veces la información disponible deforma la realidad siguiendo una pauta fija. Los ejemplos siguientes muestran que, en esos casos, las personas pueden mejorar sus decisiones económicas siendo conscientes de la dirección que toma el sesgo.

¿Por qué en béisbol el novato del año suele decaer en su segunda temporada?

En 2002, el tercera base Eric Hinske jugó con los Azulejos de Toronto e hizo un promedio de bateo de 0,279 cuadrangulares y 84 carreras impulsadas en 151 partidos, unos resultados que le valieron el título de Novato del Año de la Liga Americana. Sin embargo, en las dos temporadas siguientes sólo consiguió unos promedios de bateo de 0,243 y 0,248. Esto no es nada infrecuente. Los jugadores que han sido nombrados novatos del año por la NBA suelen obtener en su primera temporada unos resultados que serían meritorios incluso en jugadores consagrados. Sin embargo, a pesar de tener un año más de experiencia, suelen hacerlo peor en su segunda temporada en las grandes ligas. Esta caída en el rendimiento es un fenómeno tan habitual que se le ha dado un nombre: «bajón del segundo año».* ¿A qué se debe este bajón?

Una posibilidad es que los lanzadores rivales necesitan tiempo para descubrir los puntos débiles de un bateador. Pero, si ésa fuera la explicación, el bajón de la segunda temporada afectaría a todos los jugadores y no sólo al mejor novato del año anterior. Pero eso no es lo que ocurre. En general, los jugadores que están en su segunda temporada suelen lograr resultados ligeramente mejores que los recién llegados.

Una explicación más admisible es que el bajón del segundo año no es más un espejismo estadístico. Ni siguiera los mejores jugadores rinden igual todos los años. Sus promedios de bateo y demás estadísticas ofensivas oscilan considerablemente de un año para otro. Por definición, sólo los jugadores que hacen una temporada extraordinaria reciben el premio al mejor novato del año. Eso significa que su segundo año en las grandes ligas viene justo después de un año en el que, probablemente, han obtenido resultados que están por encima de la media final de

---

* En inglés, *sophomore slump*. (N. del t.)

sus trayectorias profesionales. No es de extrañar que las cifras de su segunda temporada desmerezcan un poco.

El bajón del segundo año es un ejemplo de lo que los estadísticos llaman regresión a la media.[7] Ocurre siempre que hay un componente aleatorio en el éxito.

No siempre un resultado excepcional viene seguido de otro más próximo a lo normal, pero es lo más frecuente.

¿Por qué despedir al jefe de una organización que obtiene malos resultados es una medida engañosamente seductora para los responsables de la organización?

Cuando un equipo de una liga profesional tiene una temporada mala, lo primero que suele hacer el dueño del club es despedir al entrenador. Asimismo, cuando una empresa sufre grandes pérdidas, lo primero que hace el consejo de dirección es despedir al director general. ¿Encuentra esta forma de proceder alguna justificación en el hecho de que a los equipos y empresas, por regla general, les vaya mejor al año siguiente con el nuevo jefe?

Perder una liga, igual un año de pérdidas en los negocios, depende siempre de muchos factores. Si bien puede atribuirse parte de la responsabilidad a la actuación del jefe, en un año rematadamente malo es probable que hayan influido otros factores adversos. Lo característico de estos factores es que fluctúen al azar, quienquiera que esté al mando de la organización. Si un año fueron extremadamente desfavorables, probablemente no se apartarán tanto de lo normal al año siguiente.

Como los jefes suelen incorporarse después de un año pésimo, es previsible que a la organización le vaya mejor al año siguiente, incluso aunque el nuevo jefe no sea mejor que el anterior. Esta mejora es otro ejemplo de la regresión a la media. Eso no quiere decir que el jefe anterior no haya podido cometer errores graves y, por tanto, merezca el despido. Pero el hecho de que las organizaciones se recuperen después de un despido no prueba que éste haya sido una medida acertada.

¿Por qué los directores suelen sobrevalorar la eficacia de la reprimenda e infravalorar la del elogio?

Los directores severos se dan mucha prisa en reprender a sus subordinados cuando cometen errores, pero poca en elogiarlos cuando lo hacen bien. En cambio, los directores que cuidan a sus subordinados alaban pronto y tardan en regañar. ¿Cuál de las dos formas de proceder es más efectiva? Dado que no existe una respuesta concluyente, los directores inexpertos tienden a experimentar hasta que definen un estilo propio que les funciona bien. No obastante, estos experimentos llevan aparejado un sesgo que hace que muchos directores lleguen a la conclusión de que el elogio es menos efectivo y la censura más eficaz de lo que realmente son. ¿A qué se debe este sesgo?

La explicación tiene que ver con el mismo fenómeno estadístico—la regresión a la media—que subyace al bajón del segundo año del mejor novato del año anterior.[8] Los trabajadores, igual que los jugadores de béisbol, no rinden en todo momento al mismo nivel. Unas semanas rinden por encima de su rendimiento medio a largo plazo y, otras, por debajo. Independientemente de lo que le diga el jefe, cuando una empleada rinde una semana menos de lo que es normal para ella, probablemente mejore su rendimiento—se aproxime más a lo normal—a la semana siguiente. Inversamente, si una semana rinde más de lo que es habitual en ella, lo más probable es que, a la semana siguiente, su rendimiento baje un poco, haya o no alabado el jefe su trabajo.

El resultado final es que los directores que regañan a sus empleados cuando lo hacen peor de lo normal pueden cometer el error de atribuir la subsiguiente mejora, que se habría producido de todos modos, a su severidad. A la inversa, los directores que alaban a sus empleados cuando trabajan muy bien pueden malinterpretar la subsiguiente disminución del rendimiento, que asimismo se habría producido de todos modos, imputándola a la permisividad de su estilo de dirección.

Los experimentos realizados sugieren que, al menos en algunos entornos de trabajo, es más probable que los subordinados rindan bien con un estilo de dirección afable que con uno muy severo.[9] Posiblemente, estos datos son más fiables que una impresión superficial sesgada por la regresión a la media.

Como muestra el ejemplo final de este capítulo, a veces el principio de coste-beneficio puede ayudarnos a encontrar un sentido a la información que, en apariencia, carece por completo de él.

¿Por qué las tiendas ponen un cartel en el escaparate diciendo que permiten la entrada a perros guía? (Maurice Hernandez)

Muchas tiendas ponen carteles en el escaparate para informar a los clientes de las normas que deben respetar dentro del local. Por ejemplo, algunas no admiten a clientes descalzos o sin camisa y, cada vez más, les prohíben fumar y entrar con animales de compañía. Sin embargo, en este último caso, casi siempre cuelgan otro cartel diciendo que permiten la entrada a perros guía. Puesto que ni estos perros ni sus dueños pueden leer el cartel, ¿para qué lo ponen?

Los clientes con vista normal no tienen perros guía y, en principio, no necesitan saber que a estos animales se les permite entrar. Aun así, puede que al dueño de la tienda le convenga que estos clientes sepan que los perros guía están exentos de la prohibición. Alguien podría ver un perro dentro del local y, al no darse cuenta de que es un perro guía, concluir erróneamente que la tienda no está haciendo respetar la norma que prohíbe la entrada a los animales de compañía. A otros les podría parecer excesivo prohibir todo tipo de animales de compañía, pues esto supondría discriminar a los clientes invidentes.

Es cierto que estos beneficios son escasos. Pero los carteles, que suelen ser calcomanías, no cuestan prácticamente nada, de modo que puede tener sentido ponerlos con tal que proporcionen un mínimo beneficio.

EL ECONOMISTA NATURALISTA SALE DE VIAJE

Los pormenores de la vida económica varían en cada país. Por ejemplo, en Estados Unidos las casas son considerablemente más pequeñas que en Japón. Estas diferencias suelen atribuirse a la cultura, pero esto equivale a obviar la cuestión de por qué las culturas son diferentes. ¿Se deben las diferencias únicamente a variaciones arbitrarias de las costumbres que se produjeron hace miles de años? El psicólogo Jerome Kagan sostiene que muchas normas culturales pueden analizarse convenientemente como adaptaciones al conjunto de problemas que afrontan las personas en diferentes épocas y lugares.[1] Según este autor, en las sociedades donde la tasa de mortalidad infantil es elevada, las culturas suelen abrazar el estoicismo y el desapego; las que luchan muchas guerras valoran la valentía, y similarmente.

En consonancia con los postulados de Kagan, este capítulo analiza las diferencias en las costumbres de los países suponiendo que se deben a disparidades en los costes y beneficios correspondientes. Uno de los factores más importantes que repercuten en las diferencias entre países es la renta per cápita. Normalmente, las personas con un nivel de ingresos diferente eligen cosas diferentes, cualesquiera que sean sus tradiciones culturales.

¿Por qué en los países asiáticos se envían muchos más mensajes de texto que en Estados Unidos? (Vivek Sethia, Kalyan Jonnalagadda)

Cualquiera que visite un país asiático verá que la gente de todas las edades está continuamente tecleando mensajes de texto en el teléfono móvil. En cambio, en Estados Unidos y en Europa no es tan habitual enviar estos mensajes. ¿A qué se debe esta diferencia?

Dado que, hasta hace pocos años, muchos países de Asia disponían de redes de telefonía fija menos desarrolladas que las de Estados Unidos, el uso del teléfono móvil se extendió antes que en Estados Unidos. Los mensajes de texto requieren un ancho de banda inferior al de las conversaciones habladas y, en consecuencia, este servicio puede ofrecerse a precios más bajos. A excepción de Japón, los países asiáticos tienen una renta per cápita bastante inferior a la de Estados Unidos, razón por la cual era más probable que contratasen planes de mensajes de texto.

Todo el que haya probado a enviar un mensaje de texto con un teléfono móvil puede atestiguar que, para llegar a tener soltura, hace falta tiempo y esfuerzo. Los asiáticos, dada su experiencia prolongada en esta forma de comunicación, han seguido aprovechando su habilidad para enviar mensajes de texto a pesar de que hoy en día muchos pueden permitirse hacer llamadas. Los estadounidenses, debido a su mayor renta, se acostumbraron a llamar desde el principio y, actualmente, no les compensa esforzarse por dominar la técnica de enviar mensajes de texto.

Alguien podría objetar que el envío de mensajes de texto es habitual en países que, como Finlandia, disponen desde hace mucho tiempo de extensas redes de telefonía fija. Pero, tal vez, el gusto de los finlandeses por los mensajes de texto tiene su origen en el consabido antigregarismo de su carácter nacional. Como dice el chiste: «¿Cómo identificas a un finlandés extravertido? Fácil, es el que *te* mira a los zapatos».

¿Por qué en Brasil se reciclan proporcionalmente
muchas más latas de aluminio que en Estados Unidos?
(Luiz Fernando, Varga Buzolin)

En Estados Unidos, los consumidores de once estados tiene
que pagar un depósito de cinco céntimos o más por cada lata
de refresco de aluminio que compran. Asimismo, los servicios
públicos ponen continuamente anuncios exhortándolos a reciclar dichos recipientes. Para recuperar el depósito, los consumidores sólo tienen que llevar las latas al centro de reciclaje
más próximo. Por regla general, las tiendas de comestibles
grandes, así como otros muchos establecimientos, aceptan latas para reciclar. Sin embargo, sólo se recicla algo más de la
mitad de los setenta mil millones de latas de refresco de aluminio que se venden anualmente en Estados Unidos.[2] Casi todas
las demás acaban en vertederos. En cambio, en Brasil no se cobra un depósito por los refrescos envasados en latas de aluminio; tampoco quedan a mano los centros de reciclaje, ni los
servicios públicos del estado brasileño ponen anuncios para
que los consumidores reciclen las latas vacías. No obstante,
cada año se recicla casi un 90 por 100 de las latas de refresco
de aluminio que se venden en Brasil.[3] ¿Por qué la tasa de reciclaje de los brasileños es muy superior a la de los estadounidenses?

Aunque en Brasil no haya un sistema de depósitos ni centros de reciclaje fácilmente accesibles, los recipientes de aluminio pueden venderse a empresarios que pagan por ellos dinero en efectivo y, una vez fundidos, los venden como
aluminio reciclado. Dado que la renta per cápita de Brasil es
inferior al 20 por 100 de la estadounidense y muchas personas
viven en situación de pobreza extrema, casi 200.000 brasileños
se ganan la vida rebuscando latas de aluminio. En cambio, a
muchos estadounidenses no les compensa guardar cola en los
centros de reciclaje para hacer el canje y, normalmente, las latas acaban enterradas en los vertederos. Según Pat Franklin,

del Instituto de Reciclaje de Recipientes, en las dos últimas décadas se han acumulado en estos vertederos once millones de toneladas de latas de aluminio, cuyo valor se calcula en doce mil millones de dólares.[4]

Aunque las leyes que establecen los depósitos no han conseguido que todos los estadounidenses reciclen, han tenido un efecto deseable: las latas de aluminio desechadas en sitios públicos son recogidas casi inmediatamente por quienes hurgan en las basuras. Éstos, a diferencia de los brasileños que se dedican a esta actividad, rara vez rebuscan latas en los vertederos, pues está prohibido en muchas jurisdicciones.

Aunque las rentas per cápita de los países asiáticos son inferiores a las de Estados Unidos y Europa, en muchos de ellos el precio del suelo es mucho más alto debido a la mayor densidad de población. Estas diferencias de precio tienen consecuencias interesantes en el sector del entretenimiento.

¿Por qué en Corea y en muchos otros países asiáticos las entradas de cine son numeradas, mientras que en Estados Unidos no suelen serlo? (Gloria Kim)

Los espectadores de Seúl, Corea del Sur, compran entradas que asignan asientos concretos en la sala de cine. En cambio, en Chicago, Illinois, el primero que llega elige sitio. ¿A qué se debe esta diferencia?

En cualquier parte del mundo, reservar asientos supone un coste. Los taquilleros tienen que preguntar a los clientes qué asiento prefieren y los acomodadores tienen que indicar a los clientes dónde está su asiento y dirimir las discusiones que se producen cuando dos o más personas afirman que les corresponde una misma localidad. Estos costes son muy similares en todo el mundo. Por tanto, es probable que esta diferencia entre países tenga su origen en diferencias en los beneficios de numerar las entradas.

Si comparamos dos ciudades cualesquiera de Estados Unidos y Asia con una población similar, en las salas estadounidenses hay muchas más proyecciones de cualquier película que en las asiáticas. Disponer de más sesiones beneficia a los aficionados al menos en dos sentidos. Primero, es más probable que encuentren una sesión a una hora que les viene bien. Segundo, en cada sesión habrá, por regla general, bastantes más butacas vacías en la sala, por lo que el espectador puede decidir ver una película en el último minuto.

En las salas asiáticas hay menos proyecciones porque, en las ciudades de Asia, la renta per cápita es menor y el precio del terreno, en proporción a la renta per cápita, es más elevado que en las ciudades de Estados Unidos. Si hubiese más proyecciones, los costes subirían, pero los espectadores, dada su menor renta, no estarían muy dispuestos a pagar por las ventajas que esto les proporcionaría. El elevado precio del terreno encarece la construcción de salas en Asia, lo cual limita aún más el número de proyecciones.

A consecuencia del menor número de sesiones, las entradas de las películas proyectadas en las salas asiáticas se agotan casi siempre. Cuando un espectador espera que las entradas se agoten, lo normal es que vaya al cine antes de que comience la película para asegurarse de que no se queda sin entrada. Esto hace que se formen largas colas antes de la proyección. Como estas colas no consiguen que haya más butacas, el tiempo de espera, desde el punto de vista colectivo, es tiempo perdido. No obstante, si alguien se niega a guardar colas, no logra ver ninguna película. (Otro ejemplo del conflicto entre intereses individuales y colectivos.)

La solución de este problema es la reserva de entradas numeradas. Reservando entrada mucho antes de la proyección, todos tienen asiento garantizado sin tener que esperar varias horas de cola.

¿Por qué los multicines estadounidenses suelen dejar
que los espectadores vean más de una película con una entrada,
mientras que en los asiáticos sólo es posible ver una? (Frank Fu)

Aunque no cuelgan ningún cartel que informe al respecto, la mayoría de las salas de cine estadounidenses no impiden que los clientes vean más de una película con la misma entrada. Después de enseñar la entrada al empleado de la entrada del multicine, los espectadores entran y no vuelven a encontrar ningún control. Cuando han visto la película de su elección, pueden quedarse, si quieren, a ver una o, incluso, dos películas más sin desembolsar ninguna cantidad adicional. En cambio, en casi todos los multicines asiáticos se comprueban exhaustivamente las entradas antes de pasar a cada sala. ¿A qué se debe esta diferencia?

La siguiente explicación parte de la constatación de que, como vimos en el ejemplo anterior, en las salas estadounidenses suelen quedarse muchas butacas sin ocupar mientras que, en las asiáticas, se suelen agotar las entradas para cada proyección. Eso significa que, si los espectadores estadounidenses viesen una segunda película sin comprar otra entrada, no impedirían que otros la viesen. En cambio, si los clientes de los multicines asiáticos viesen una segunda película sin sacar otra entrada, otros clientes se quedarían sin verla.

En consecuencia, el beneficio de impedir que la gente vea más de una película con una sola entrada es mayor en las salas asiáticas llenas de espectadores que en las estadounidenses, que suelen estar medio vacías. Por tanto, los dueños de los multicines asiáticos tienen más incentivos para incurrir en el elevado coste de contratar revisores para cada sala.

Asimismo, es posible que los dueños de los multicines estadounidenses estén aumentando su recaudación por venta de entradas gracias a que no hacen respetar la norma de una película por entrada. Aunque no haya controles para cada sala, en Estados Unidos la mayoría de los espectadores ven sólo una película cada vez que van al cine. La pregunta es si los pocos clientes que ven más de una película habrían comprado la entrada si con ella sólo hubiesen podido entrar en una sesión. Si la respuesta es que no, no hacer cumplir la norma de una película por entrada incrementa los ingresos totales por la venta de entradas.

Dicho de otro modo, la política de no hacer respetar la citada norma puede ser una forma más de diferenciación de precios. Los espectadores que están dispuestos a saltarse esta norma que nadie obliga a cumplir suelen ser, de promedio, más sensibles al precio que el resto del público. Por tanto, quizá la norma y la ausencia de control funcionen como una barrera que permite a los dueños de los multicines conceder descuentos a estos clientes sin bajar los precios a todos.

En cualquier caso, es probable que los ingresos adicionales generados por los puestos que venden comida y bebida dentro de los multicines compensen las eventuales pérdidas por las entradas que no se han vendido a los espectadores que se quedan a ver otra película.

Como muestra el ejemplo siguiente, existen otras diferencias entre países que pueden deberse a diferencias en el coste de oportunidad que tiene dedicarse a una actividad.

¿Por qué los equipos estadounidenses de fútbol masculino han obtenido resultados pésimos en los torneos internacionales? ¿Por qué a los equipos femeninos les ha ido mucho mejor? (Dave Decker)

En el siglo xx Estados Unidos ha sido siempre uno de los países que más medallas de oro han obtenido en los Juegos Olímpicos, tanto en la categoría masculina como en la femenina. En los últimos años, las estadounidenses han hecho un buen papel en las competiciones internacionales de fútbol. En cambio, los equipos masculinos han tenido bastante menos éxito. ¿A qué se debe esta diferencia?

Antes de los años sesenta, apenas se jugaba al fútbol en las escuelas estadounidenses y, a nivel profesional, mucho menos todavía. Aunque este deporte ha crecido mucho en Estados Unidos en los últimos años, continúa siendo un deporte secundario. El fútbol americano, el béisbol, el baloncesto y el hockey, que llevan mucho tiempo pagando a los deportistas profesionales salarios anuales de siete cifras, compiten intensamente por atraer a los mejores deportistas jóvenes. En consecuencia, el fútbol en Estados Unidos ha tenido siempre una cantera limitada de jóvenes promesas.

En cambio, el fútbol es el principal deporte masculino en el resto del mundo. En la mayoría de los países, todos los jóvenes con aptitud para el deporte sueñan con convertirse en estrellas de fútbol. A los equipos de fútbol masculino de Estados Unidos les cuesta competir a escala internacional porque los adversarios de otros países han podido elegir a los mejores aspirantes.

Para las mujeres estadounidenses, el contexto internacional es mucho más favorable porque en muchos países el deporte femenino está poco desarrollado. En cambio, en Estados Unidos el Título IX de las Enmiendas sobre Educación exige que las escuelas distribuyan el gasto en deporte de forma equitativa entre chicas y chicos. Dado que, en este país, no hay ligas profesionales femeninas que paguen salarios altos a las deportistas, los demás deportes no se llevan a las mejores.

¿Por qué en Alemania la tasa de desempleo es mucho más alta que en Estados Unidos? (Martin Mehalchin)

Aunque la tasa de desempleo varía de un mes para otro en casi todos los países, existen también diferencias constantes entre los países. Por ejemplo, la tasa de desempleo estadounidense es siempre menor que la de la mayoría de países europeos. En septiembre de 2006, era del 4,6 por 100 en Estados Unidos y, en Alemania, del 8,7 por 100.⁵ ¿Por qué es mucho más alta en Alemania?

Una manera de enfocar esta cuestión es examinar las diferencias en los costes y beneficios de un desempleado en los dos países. En comparación con los ciudadanos de la mayoría de los demás países desarrollados, los estadounidenses dependen más del empleo para cubrir sus necesidades económicas básicas. Un ejemplo es la cobertura sanitaria. Mientras que, en Estados Unidos, son las empresas las principales encargadas de proporcionarla, en Alemania es el estado. Y, si bien en Estados Unidos existe un sistema de seguro de desempleo que ayuda a los trabajadores que se han quedado en paro, las prestaciones son mucho menores y se acaban mucho antes que en Alemania. Asimismo, los subsidios de la seguridad social para personas con ingresos bajos son más generosos y menos restrictivos en Alemania que en Estados Unidos.

La mayoría de los alemanes, del mismo modo que la mayoría de los estadounidenses, tienen un empleo estable y parecen satisfechos con él. Sin embargo, la situación de los desempleados es muy diferente en un país y en otro. Los parados estadounidenses pasan muchos apuros para llegar a final de mes. En cambio, los parados alemanes tienen derecho a un subsidio estatal que cubre sus necesidades básicas indefinidamente.

En resumen, el coste de oportunidad de estar desempleado es más bajo en Alemania que en Estados Unidos, y esta diferencia ayuda a explicar por qué los parados alemanes pueden permitirse ser más pacientes y exigentes en el momento de buscar un trabajo adecuado.

¿Por qué en Estados Unidos los consumidores pagan más del doble del precio internacional del azúcar? (Thomas Pugel)

En el año 2005, los estadounidenses pagaron, de media, 48 céntimos por el kilo de azúcar sin refinar, mientras que el precio medio en el mercado internacional es de sólo 22 céntimos. ¿Qué explicación tiene esta enorme disparidad en los precios?

La respuesta fácil es que Estados Unidos aplica un arancel de más del 100 por 100 a las importaciones de azúcar.[6] Pero, con eso, seguimos sin responder a la pregunta de por qué los parlamentarios aprueban medidas que cuestan a sus electores alrededor de dos mil millones de dólares al año. Es posible responder a esta pregunta constatando, en primer lugar, la diferencia de incentivos entre los votantes y los productores nacionales de azúcar.

Dado que, normalmente, las familias gastan en azúcar mucho menos del 1 por 100 de su renta, pocos votantes se molestarían en quejarse a sus representantes electos por el elevado precio del azúcar. De hecho, es probable que la mayoría de los votantes ignoren que existe un arancel sobre las importaciones de azúcar.

Los incentivos de los productores de azúcar son muy diferentes. Por ejemplo, se ha calculado que el arancel del azúcar incrementa el beneficio anual de un gran productor de Florida en unos 65 millones de dólares.[7] Con tanto dinero en juego, los productores no sólo escriben cartas, sino que contratan a cabilderos expertos para que defiendan su causa. Más importante aún, realizan generosas aportaciones a los partidos de los parlamentarios que apoyan el arancel del azúcar.

Si bien los productores ganan menos de la mitad del coste que soportan los consumidores estadounidenses, la iniciativa política para suprimir el arancel sigue siendo muy débil, porque los beneficios del arancel están concentrados y los costes extremadamente dispersos.

¿Por qué los motores de los coches son mucho más pequeños en Europa que en Estados Unidos?

La casa BMW vende su berlina serie 5 en todo el mundo. En Europa, muchos conductores eligen el motor de 1,6 litros y cuatro cilindros. En cambio, en el mercado estadounidense el motor más pequeño es el de 3 litros y seis cilindros. En general, en Europa se venden coches con motores de menos cilindros y capacidad muy inferior a la que tienen los motores de los coches en Estados Unidos. ¿Por qué los europeos compran coches de menor cilindrada?

Quizás algunos piensen que el denso tráfico de las carre-

Dibujo de Mick Stevens

Motores más pequeños en los mercados europeos:
¿una consecuencia de los elevados impuestos sobre la gasolina?

teras europeas hace que en Europa se saque menos partido a los coches potentes que en Estados Unidos. Sin embargo, en muchas autovías europeas no hay límite de velocidad y es habitual ver pasar un Porsche o un Ferrari a 240 kilómetros por hora.

Obviamente, a los conductores de esos vehículos no les preocupa mucho el dinero. El europeo medio compra menos coches de gran cilindrada que el estadounidense medio porque, en Europa, el impuesto de la gasolina es muy elevado. En los últimos años, el precio medio, impuestos incluidos, del litro de gasolina en Europa ha sido el doble que en Estados Unidos. Otro factor digno de tener en cuenta es que, en algunos países europeos, una parte de la carga fiscal que soportan los automóviles se calcula en función de la capacidad del motor.

Los europeos compran motores más pequeños no porque no les gusten los coches potentes, sino porque los sistemas impositivos penalizan los motores grandes.

¿Por qué en Singapur se venden proporcionalmente más coches de lujo que en Estados Unidos? (Jacqueline Chien)

La renta per cápita en Singapur es aproximadamente un tercio de la estadounidense y, en los dos países, la distribución de la renta es sorprendentemente parecida. Sin embargo, BMW, Mercedes y otras marcas de lujo tienen una cuota de mercado superior en Singapur. ¿Por qué los singapurenses compran más coches de lujo?

A causa de la elevada densidad de población, el gobierno de Singapur ha tomado medidas drásticas para controlar la contaminación y el exceso de tráfico.[8] Por ejemplo, ha construido una red de transporte público eficiente y ha incrementado considerablemente los impuestos sobre los automóviles. Aquí nos interesa destacar tres rasgos de esta carga fiscal. Primero, es exorbitante, pues supera con mucho el precio antes de impuestos del coche de lujo más caro. Segundo, algunos de los impuestos más importantes son independientes del precio de compra del coche. Eso significa que son iguales para un BMW 745i que para un Honda Civic, a pesar de que el BMW cuesta cinco veces más que el Civic. Y, tercero, se pagan muchos más impuestos por los coches viejos que por los nuevos, una medida basada en el hecho de que la tecnología para reducir la contaminación de los automóviles ha estado mejorando continuamente. Con unos impuestos más altos sobre los vehículos más viejos y contaminantes, el gobierno pretende incitar a los conductores a comprar coches más nuevos y limpios.

Debido a esta carga fiscal, tener un coche es tan caro que el porcentaje de población que dispone de coche es mucho más bajo en Singapur que en Estados Unidos. Los singapurenses de rentas baja y media suelen utilizar exclusivamente el transporte público, pues los automóviles son el privilegio de quienes disfrutan de una posición económica superior. Otra consecuencia es que, en lugar de pagar, como ocurre en Estados Unidos, cinco veces más por un coche de lujo que por uno económico, lo normal es que paguen menos del triple.

En resumen, el hecho de que el sistema impositivo penalice los vehículos viejos explica por qué, en proporción, hay muchos más coches nuevos en Singapur que en Estados Unidos. Y el hecho de que sólo los ricos puedan soportar la carga fiscal de tener un coche, unido al hecho de que el precio después de impuestos de los coches de lujo sea bajo en relación con el precio de los coches económicos, explica que en Singapur haya un porcentaje tan elevado de coches de lujo nuevos.

¿Por qué en Roma se multa a los peatones imprudentes y en Nueva York no? (Joe Weiss)

Cualquiera que haya estado en Manhattan puede atestiguar que allí los peatones no prestan mucha atención a los semáforos. En cuanto se presenta la menor oportunidad, cruzan la calzada aunque el semáforo para los vehículos esté en verde. Además, hacen esto ante la mirada de los policías que patrullan a pie, pues saben que, toda vez que la ley prohíbe explícitamente cruzar imprudentemente la calzada, casi nunca se multa a los infractores. En cambio, la policía de Roma multa habitualmente a los peatones imprudentes, por eso es raro ver infracciones de este tipo. ¿A qué se debe esta diferencia?

Si se tratase de explicar por qué se multa a los peatones imprudentes en Berlín, podría responderse que los alemanes tienen fama de respetar las normas de todo tipo; pero eso no se suele decir de los italianos.

Sin embargo, existe una diferencia notable entre el tráfico neoyorquino y el romano que podría explicar esta divergencia en la aplicación de las normas. En Nueva York, casi todos los vehículos que circulan por las calles son coches y camiones. Si un peatón cruza indebidamente y lo atropella uno de estos vehículos, lo más probable es que muera o sufra heridas graves, pero es improbable que cause daños al conductor del vehículo. En cambio, gran parte del tráfico romano está formado por bicicletas y escúteres. Por tanto, los peatones imprudentes arriesgan menos la vida en Roma que en Nueva York, pero en Roma es más probable que pongan en peligro la de los demás.

En última instancia, la diferencia en la imposición de multas puede ser una consecuencia indirecta de las diferencias en las políticas fiscales. Los elevados impuestos sobre la gasolina y los vehículos explican por qué en Roma predominan las bicicletas y los escúteres y, por consiguiente, por qué en esta ciudad se toman más en serio las normas de los peatones que en Nueva York.

El ejemplo siguiente arroja luz sobre una diferencia interesante en la manera de comercializar productos aparentemente similares en países diferentes.

¿Por qué el formato de DVD utilizado en Estados Unidos es diferente al europeo y al de los demás países, mientras que el formato de los CD es el mismo en todos los países?
(Valerie Bouchereau)

Si una francesa visita a sus familiares de Nueva York y les trae de regalo un DVD comprado en París, éstos se encontrarán con que los reproductores estadounidenses no pueden leerlo. Igualmente, si compra un DVD en Nueva York, se llevará un chasco al comprobar que el reproductor de DVD que tiene en Francia no puede leer el disco estadounidense. En cambio, los CD no tienen ese problema. Un CD comprado en cualquier parte del mundo es compatible con los reproductores de CD de todos los países. ¿Por qué en la industria del DVD se emplean formatos diferentes y en la del CD el formato es único?

Una respuesta admisible se basa en la constatación de que los estudios cinematográficos sacan al mercado mundial dos tipos de producto: proyecciones en salas y DVD, mientras que las compañías discográficas sólo venden CD. Estos tres productos tienen en común que el coste marginal de servir a un cliente adicional es muy bajo. Por ejemplo, en las salas de cine, al menos en algunas sesiones, suele haber butacas libres. Asimismo, cuando finaliza la producción de un largometraje o de un elepé, la fabricación de cada unidad adicional cuesta sólo unos céntimos. Lo que impulsa a los estudios cinematográficos a seguir una estrategia de comercialización distinta es que venden dos tipos de productos.

El objetivo de todo vendedor consiste en que los compradores paguen lo máximo posible por su producto. Como vimos anteriormente (capítulo 4), un medio útil para este fin es ofrecer un descuento, pero sólo a los clientes que están dispuestos a superar una barrera. La que ponen los estudios de cine es especialmente eficaz, a saber, cobrar mucho por las películas que estrenan en las salas y poco por los DVD que sacan varios meses después. Si una familia de cuatro personas quiere ver en el cine una película recién estrenada, tiene que pagar 40 dólares. En cambio, a quienes no les importa esperar, pueden alquilar el DVD por 3 dólares y verla en casa. Si el DVD saliese al mercado coincidiendo con el estreno de la película en los cines, la venta de entradas, cuyo precio es elevado, podría verse afectada.

Los estudios suelen escalonar el estreno de una película para que los actores puedan ir de gira por los mercados más importantes del mundo y promocionarla justo antes de que empiece a proyectarse en cada uno de ellos. Por ejemplo, el estreno en Estados Unidos puede ser en septiembre, en Europa en febrero y en Asia en junio. Si el formato de los DVD fuese el mismo en todo el mundo y un DVD saliese al mercado estadounidense en febrero, los consumidores europeos y japoneses podrían alquilarlo en un videoclub—que lo habría comprado en amazon.com—y ver la película al mismo tiempo que sus vecinos—que la han visto en el cine—sin tener que pagar el elevado precio de las entradas. La diversidad de formatos es un procedimiento para evitar esto.

Podría parecer que las compañías discográficas tienen motivos similares. Al fin y al cabo, si escalonasen la salida de los CD a los diversos mercados del mundo, los músicos podrían ir de gira y actuar en cada país justo en el momento de la publicación de su último trabajo. Sin embargo, a diferencia de los estudios de cine, cuyos ingresos proceden de la venta de entradas y de DVD, los sellos discográficos cuentan con una única fuente de ingresos, la venta de CD. Cuando un grupo hace una gira, la recaudación por la venta de las entradas no es para la casa discográfica, sino para los músicos. Por eso, estas compañías no ganan nada impidiendo que los CD circulen libremente por el mundo.

Algunas diferencias entre países no se deben a la diversidad de rentas, precios o políticas económicas, sino a diferencias de incentivos que tienen su origen en la diversidad de costumbres.

¿Por qué las parejas japonesas gastan más dinero en la boda que las parejas estadounidenses? (Tsutomu Ito)

De promedio, las parejas japonesas gastan más del doble que las estadounidenses en la boda.[9] Aunque el gasto por invitado es superior en aquel país, la razón principal es que las parejas japonesas suelen invitar a más personas. ¿Por qué hay muchos más invitados en las bodas japonesas?

Las parejas japonesas suelen celebrar la boda con una extensa red de compañeros de trabajo, superiores y otros miembros de la comunidad. Con frecuencia, los políticos de la zona

Dibujo de Mick Stevens

Bodas multitudinarias: ¿una inversión en redes profesionales y sociales?

reciben una invitación aunque no conozcan personalmente a los novios. Incluso en las bodas de parejas con ingresos medios, el número de invitados suele oscilar entre trescientos y quinientos.

Las parejas japonesas invitan a tantas personas porque en Japón son muy importantes las redes informales de tipo social y laboral. A fin de mantener su posición en estas redes, es esencial que un japonés participe activamente en la armonía social (*wa*). Excluir de la lista de invitados a una persona que esperaba una invitación puede perturbar las relaciones sociales y, en consecuencia, comprometer la posición de una pareja. Por eso, las bodas masivas pueden considerarse una inversión en relaciones sociales y profesionales. Aunque en Estados Unidos también existen estas redes informales, en Japón tienen una importancia mucho mayor.

9

ENCUENTRO ENTRE LA PSICOLOGÍA
Y LA ECONOMÍA

Aunque los economistas suelen presuponer que las personas son racionales y atienden únicamente a sus intereses, estos postulados están siendo cuestionados por la economía conductual, un incipiente campo de estudio. Por ejemplo, damos propina en restaurantes a los que nunca volveremos y muchas de nuestras decisiones se basan en información a todas luces irrelevante.

Muchos de los estudios pioneros en economía conductual son obra de dos psicólogos israelíes, Daniel Kahneman y Amos Tversky en su última época.[1] Uno de sus experimentos consistía en pedir a una muestra de estudiantes universitarios que calculasen el porcentaje de países africanos que son miembros de la Organización de las Naciones Unidas.[2] La mayoría no tenían ni idea, pero se trataba de que dijesen un número, aunque fuese al azar. Lo peculiar del experimento era que, antes de responder a la pregunta, los experimentadores dijeron a los estudiantes que hiciesen girar una rueda que se detenía en un número del uno al cien sin que ninguno de los números fuese más probable que los demás. Los estudiantes comprendieron perfectamente que el número que salía no tenía ninguna relación con la respuesta. No obstante, aquellos a los que les salió diez o menos respondieron, de media, 25 por 100 y aquellos a los que les salió sesenta y cinco o más dijeron, de media, 45 por 100.

Gran parte de los estudios de economía conductual se han centrado en este tipo de errores cognitivos. Los primeros ejemplos de este capítulo muestran que, a veces, las personas no escogen bien la información en el momento de tomar decisiones; otras veces, la información de que disponen es adecuada, pero extraen conclusiones erróneas.

¿Por qué la Universidad de Cornell tiene fama por el número de suicidios que cometen los estudiantes cuando, en realidad, el porcentaje de suicidios está muy por debajo de la media nacional de suicidios de estudiantes? (Jason Tagler)

En la Universidad de Cornell, la tasa anual de suicidios es de 4,3 por cada 100.000 estudiantes, menos de la mitad de la media nacional de suicidios de estudiantes.[3] Sin embargo, la gente piensa desde hace tiempo que Cornell tiene una tasa de suicidios muy alta. ¿Por qué se produce esta discrepancia?

Según Kahneman y Tversky, la gente recurre a la heurística, es decir, al cálculo «a bulto», cuando realiza cálculos acerca de las cosas que ocurren en el mundo. Por ejemplo, cuando la gente intenta calcular la frecuencia de un suceso determinado, suele recurrir a la heurística de la disponibilidad, según la cual un tipo de suceso es más frecuente si los casos en que se ha producido son más fáciles de recordar.[4] Generalmente, la heurística de la disponibilidad funciona bastante bien, porque es más fácil recordar los casos en que ha ocurrido algo si ocurre más a menudo.

Sin embargo, la frecuencia no es el único factor que influye en nuestra capacidad de recordar los sucesos. También influye lo impactantes que sean los casos, y eso explica de forma admisible por qué la gente calcula en más la tasa de suicidios de Cornell. En otras universidades, lo normal es que la forma en que los estudiantes se suicidan sea menos impactante, por ejemplo una sobredosis de somníferos. En cambio, Cornell se halla entre dos desfiladeros glaciares y muchos suicidas saltan de los puentes que pasan por encima. En ocasiones se producen atascos de varias horas hasta que los equipos de rescate bajan haciendo rápel por las laderas y sacan el cuerpo sin vida del suicida. Por eso, cuando la gente se pregunta si Cornell tiene una tasa de suicidios elevada, suele responder afirmativamente porque es muy fácil traer ejemplos a la memoria. Normalmente, la gente no recuerda casos de suicidios por sobredosis, a menos que conozca al suicida.

¿Por qué a menudo los agentes inmobiliarios enseñan a sus clientes dos casas idénticas, a pesar de que una es más barata y está mejor conservada que la otra?

Un cliente de una inmobiliaria tiene dificultades para decidirse entre dos casas. La primera es una casa de campo de estilo neoclásico, está en perfecto estado y cuesta 300.000 dólares. La segunda es una casa urbana de estilo victoriano que está recién reformada y cuesta 280.000 dólares. El cliente se inclina más bien por esta última. Entonces, el agente inmobiliario lo lleva a ver otra casa de estilo neoclásico que está un poco peor conservada que la primera y cuesta 320.000 dólares. Después de verla, ya en el coche, el cliente informa al agente de su intención de comprar la primera casa de estilo neoclásico. ¿Qué hizo pensar al agente inmobiliario que enseñar a su cliente la segunda iba a ser una buena idea?

Esta historia se parece a la de un hombre que pregunta a una camarera por los bocadillos que hay en la carta.

—Tenemos bocadillos de ensalada de pollo y de rosbif —responde ella, y el cliente pide uno de rosbif.

Entonces, la camarera dice:

—Se me olvidó decirle que también tenemos bocadillos de atún.

—En ese caso, deme uno de ensalada de pollo—respondió el cliente.

Con este cambio, el cliente ha violado un principio fundamental de la teoría de la decisión racional, a saber, la inclusión de una opción menos deseable en una lista de alternativas no debería influir en la decisión. El cliente, a juzgar por su decisión inicial, prefería el bocadillo de rosbif al de ensalada de pollo, una preferencia que no debería haberse visto afectada por la inclusión del bocadillo de atún en la lista de alternativas.

Itamar Simonson y Amos Tversky han mostrado que, de hecho, estos cambios en las preferencias son habituales.[5] Al parecer, lo que ocurre es que a la gente le suele costar elegir entre dos opciones poco comparables. Dado que las dos tienen ventajas, la gente teme elegir una y, luego, arrepentirse de no haber elegido la otra. En esas situaciones, la inclusión de una nueva alternativa aparentemente irrelevante puede alterar la decisión.

El cliente de la inmobiliaria tenía dificultades para decidirse entre la primera casa de estilo neoclásico y la casa urbana de estilo victoriano. Pero no tuvo dudas cuando comparó la primera casa de campo con la segunda, pues la segunda era peor desde los puntos de vista de la calidad y el precio. Al vencer claramente en esta comparación, la primera casa de campo se rodea de un halo que la hace vencer también en la comparación con la casa urbana de estilo victoriano.

Según la teoría clásica de la decisión racional, enseñar la segunda casa de campo no debería de haber servido para nada. Sin embargo, en la práctica estas artimañas suelen ser efectivas.

¿Por qué Victoria's Secret saca al mercado sujetadores recubiertos de diamantes de varios millones de dólares que nadie compra? (Stephanie Wenstrup)

En los últimos diez años, Victoria's Secret ha destacado en sus catálogos de Navidad un regalo especialmente caro. La serie se inició en 1996, cuando Claudia Schiffer desfiló con el sujetador de diamantes Miracle Bra, que la marca vendía por un millón de dólares. Al año siguiente, Tyra Banks llegó en un coche blindado al salón de exposición de la joyería Harry Winston de la Quinta Avenida de Nueva York con el superregalo de Victoria's Secret para esas navidades, un sujetador de tres millones de dólares adornado con zafiros y diamantes. El sujetador del año 2006, diseñado por Karolina Kurkova y confeccionado por Hearts On Fire, costaba 6,5 millones de dólares. Puesto que nadie ha comprado nunca uno de esos sujetadores de diamantes, ¿por qué Victoria's Secret los sigue sacando al mercado?

Probablemente, la marca nunca ha esperado vender estos sujetadores. No obstante, ponerlos en venta puede ser un acierto por el efecto que esto tiene en las ventas del resto de sus productos. Los sujetadores de diamantes atraen la aten-

Foto gentileza de Hearts on Fire

En el año 2006, Victoria's Secret sacó al mercado su Hearts On Fire Diamond Fantasy Bra por 6,5 millones de dólares.

ción de los medios de comunicación y, en consecuencia, muchos clientes potenciales se fijan en la marca Victoria's Secret. Obviamente, Victoria's Secret es consciente de estos beneficios. Prueba de ello es que la marca reconoce que cada año los sujetadores tienen que ser más espectaculares que los anteriores para llamar la atención. No es grave que no se vendan, porque los diamantes pueden extraerse y volverse a utilizar.

No obstante, quizás el mayor beneficio que reportan los sujetadores de diamantes es algo que los economistas suelen pasar por alto: por el mero hecho de figurar en un catálogo, alteran el marco de referencia que define lo que es apropiado gastar en un regalo. Al sugerir que algunas personas gastan millones de dólares en un regalo, Victoria's Secret consigue que no parezca tan descabellado desembolsar cientos de dólares. No es difícil imaginar que un marido obsequioso, después de ver el Fantasy Bra de 6,5 millones de dólares, se gaste 298 dólares en el sujetador de raya diplomática Chantal Thomas Pinstripe Merrywidow de Victoria's Secret y se jacte de haber sido muy ahorrativo.

¿Por qué algunas marcas de helado sólo se venden en recipientes de medio litro y otras en recipientes de dos?
(Pattie Koontz, Monica Devine)

Aunque en los supermercados suele haber helados de diversas marcas y sabores, quienes tienen una preferencia clara por una marca en concreto muchas veces no encuentran el tamaño que quieren. Por ejemplo, el supermercado más grande de Ithaca vende helados Breyer de muchos sabores, pero sólo en recipientes de dos litros. También vende helados Ben & Jerry's de muchos sabores, pero sólo en recipientes de medio litro. ¿A qué se debe esta diferencia?

Ben & Jerry's suele considerarse un helado de calidad superior, en parte porque la empresa emplea métodos de producción e ingredientes caros y, en parte, por la sensibilidad medioambiental de su política de compras y la humanidad de sus programas de relaciones entre empleados. Dado que soporta costes mayores, tiene que fijar precios más altos. Por ejemplo, un recipiente de medio litro de helado Ben & Jerry's de dulce de leche con trozos de caramelo cuesta 3,69 dólares, es decir, 14,76 dólares por cada dos litros. En cambio, dos litros de helado Breyers de menta con trocitos de chocolate cuesta sólo 4,99 dólares.

Al parecer, los consumidores no sólo son sensibles al precio por litro, sino al precio total del producto. Cuando salieron al mercado los helados de calidad superior, los consumidores estaban acostumbrados a pagar precios relativamente bajos por el helado, que se vendía en recipientes de dos litros. Descubrieron que Ben & Jerry's sabía mejor y se dieron cuenta de que costaba más que la mayoría de las marcas de helado. Aun así, a muchos les impactaría ver una etiqueta de 15 dólares en un recipiente de helado. Limitando la oferta de tamaños a recipientes de medio litro, la empresa Ben & Jerry's sorteó el problema de que los precios asustasen a los consumidores. Además, quien quisiera más cantidad, podía comprar varios envases de medio litro.

Los modelos económicos tradicionales han asumido, sobre todo por simplicidad, que la gente persigue únicamente su interés personal. No hay duda de que, en el comportamiento humano, este motivo es importante, pero los hombres actúan también por otras motivaciones. Por ejemplo, el interés personal no puede explicar por qué la gente, de forma anónima, realiza donaciones a las organizaciones benéficas ni por qué vota en las elecciones presidenciales. La economía conductual sostiene que, si queremos comprender las decisiones económicas que toma la gente en la realidad, es preciso tener una visión más compleja de la motivación humana.

En algunas transacciones comerciales pueden verse claramente reflejadas consideraciones de carácter ético, aunque no siempre se manifiestan de forma predecible.

¿Por qué el fin de semana en que se celebra la Super Bowl, la final de la Liga Nacional de Fútbol Americano, es imposible encontrar habitación en los hoteles de la ciudad anfitriona?
(Richard Thaler, Harry Chan)

La Super Bowl es el espectáculo más importante en Estados Unidos. Todos los años, resulta casi imposible encontrar habitación de hotel en la ciudad anfitriona el sábado anterior al partido, que se celebra un domingo. Hay quienes afirman que ese sábado el precio al que se cruzan la oferta y la demanda de habitaciones asciende a varios miles de dólares. Aunque algunos hoteles cobran más en esas fechas, casi ninguno cobra más de 500 dólares por habitación, y la mayoría cobra bastante menos. ¿Por qué los hoteles de la ciudad anfitriona no suben las tarifas?

Aunque parezca un craso error de gestión, es decir, que los hoteles están dejando pasar una oportunidad servida en bandeja, hay otras explicaciones posibles. Una es que el exceso de demanda pilla desprevenidos a los hoteles, como ocurre a veces cuando sale un coche al mercado e, inesperadamente, se agotan las existencias al precio de venta al público fijado por el fabricante. Obviamente, esta explicación es poco admisible en el caso de las habitaciones de hotel el día antes de la Super Bowl. Los gerentes tienen una certeza casi total de que se va a producir un exceso de demanda, pues esta final se celebra todos los años y, a diferencia de la World Series de béisbol, la fecha se fija con bastante antelación.

Una explicación más fructífera es que, probablemente, los hoteles no desean causar una mala impresión a sus clientes cobrando unos precios que a éstos les pudiesen parecer abusivos.[6] Pero, ¿por qué le iba a preocupar a un hotel que los clientes reaccionen así? Al fin y al cabo, quienes consideren que el precio de mercado es demasiado alto, pueden negarse a pagarlo. Como es seguro que se formarán largas colas de aficionados frustrados porque no han encontrado habitación, los hoteles pueden contar con que la ocupación será total incluso aunque a algunos clientes les parezca que el precio es un abuso.

Con todo, en estos casos puede ser arriesgado cobrar todo lo que permite el mercado. Los clientes pagarán a disgusto el precio de mercado y, posiblemente, a muchos les durará la animadversión. Eso importa, especialmente a los dueños de cadenas de hoteles que ofrecen habitaciones no sólo el sábado anterior a la Super Bowl, sino todas las noches en cientos de ciudades. Si una persona se siente estafada por el Hilton de Miami durante el fin de semana de febrero en que se celebra la Super Bowl, es menos probable que elija el Hilton en el viaje de trabajo a Saint Louis que realiza en marzo.

Esta explicación es coherente con las anomalías en los precios de otros bienes y servicios. Por ejemplo, los dueños de los restaurantes muy concurridos saben que la noche del sábado van a tener que rechazar a muchos clientes si mantienen los precios de la carta. No obstante, la semana tiene más días y parece que les preocupa que, si los clientes se sienten estafados el sábado, probablemente cenen en otro restaurante el martes.

¿Por qué es cada vez más habitual que las empresas subcontraten los servicios de seguridad?

Todas las empresas tienen que decidir qué servicios llevan a cabo por sí mismas y qué servicios subcontratan a terceros. Como vimos en el ejemplo del capítulo 3 sobre la contratación de consultores externos, es más probable que las empresas lleven a cabo las tareas habituales con trabajadores de su plantilla y que contraten a otras empresas para que presten los servicios menos frecuentes. Sin embargo, en los últimos años ha aumentado enormemente la subcontratación de servicios de seguridad, que es una tarea del primer tipo.[7] ¿Por qué soportar el coste indirecto de contratar a empresas de seguridad que se encargan de la vigilancia diaria?

Resulta posible explicar este fenómeno partiendo del hecho, constatado por algunos estudios, de que los trabajadores que realizan una tarea cualquiera ganan más si están en la plantilla de empresas prósperas.[8] Por eso, si una empresa que obtiene muchos beneficios contrata a vigilantes al salario mínimo y con escasas ventajas, puede que la tachen de injusta. En cambio, es posible que esos vigilantes estén dispuestos trabajar en las mismas condiciones para un subcontratista más modesto. Un salario de seis dólares por hora puede parecer justo si lo paga un contratista independiente que se está abriendo camino, pero extremadamente injusto si lo paga IBM o Google. El aumento de la desigualdad en la distribución de la renta ha hecho aún más patentes estos problemas.

¿Por qué es más probable que la gente devuelva dinero a una tienda si el cajero se equivoca con la vuelta que si éste no cobra un artículo? (Bradley Stanczak)

En una encuesta informal, más del 90 por 100 de los encuestados dijeron que, si un cajero de unos grandes almacenes Target les diese veinte dólares de más con la vuelta, se los restituirían. Pero sólo el 10 por 100 devolvería una pantalla de lámpara de veinte dólares si el cajero no se la cobrase. ¿Por qué es diferente la probabilidad de que la gente sea honrada en uno y otro caso?

Los filósofos llevan muchos años destacando que lo que impulsa a las personas a actuar con honradez no es sólo el miedo al castigo, sino también sentimientos morales, como la compasión y la culpa. El cliente puede quedarse con el exceso de vuelta y con la pantalla de lámpara no cobrada sin miedo al castigo. Lo que diferencia a estos dos comportamientos es la combinación de sentimientos morales que hacen aflorar.

Si el cliente se queda con el dinero en efectivo, al final del día el cajero registrará un déficit de caja de veinte dólares y se verá obligado a ponerlos de su bolsillo. Los cajeros suelen percibir salarios modestos y a mucha gente le hace sentir incómoda pensar que son responsables de que alguien con quien han tratado personalmente tenga que renunciar a un tercio de su salario diario.

En cambio, si el consumidor no dice nada cuando no le cobran una pantalla de lámpara de veinte dólares, la única consecuencia es que el beneficio anual de Target disminuirá en ese importe. En términos porcentuales respecto del beneficio total, se trata de una pérdida insignificante que, además, se repartirá entre accionistas que el cliente nunca ha visto y a los que atribuye grandes rentas. Es cierto que ninguna teoría moral consideraría que estas circunstancias justifican el que alguien se quede con una pantalla de lámpara. Pero permiten explicar por qué, cuando a un cliente le devuelven de más, es más probable que se despierten en él los sentimientos morales que impulsan a obrar con honradez.

En los modelos económicos tradicionales, el dinero es perfectamente intercambiable. Dado que pueden utilizarse para lo que se quiera, los premios en efectivo se consideran mejores que los premios en especie de valor equivalente. Sin embargo, a menudo la gente parece preferir estos últimos. La economía conductual ha hecho posible que comprendamos este fenómeno dirigiendo nuestra atención hacia los factores que impiden que las personas gasten el dinero en lo que les gusta.

¿Por qué una empresa de telecomunicaciones de Nueva Jersey
«regaló» berlinas BMW a sus empleados en lugar de entregarles
una cantidad equivalente en efectivo?

Cuando una empresa no logra contratar y retener a suficientes
trabajadores cualificados, la teoría económica propone una
solución fácil: pagar salarios más altos. Sin embargo, algunos
empleadores han elegido una práctica retributiva diferente.
Por ejemplo, Arcnet, un proveedor de telefonía inalámbrica
de Holmdel, Nueva Jersey, ha intentado reducir sus costes de
selección y formación de personal «regalando» una berlina
BMW a los empleados con al menos un año de antigüedad.[9]
Varias empresas que han adoptado esta política retributiva la
consideran efectiva.

Obviamente, estos coches no son totalmente gratuitos. Si
sumamos los costes del arrendamiento financiero y de los seguros, su importe anual asciende a 9.000 dólares. Los empleados que perciben este tipo de retribución en especie deben de-
clararla al fisco como un rendimiento adicional del trabajo.
Esto plantea el siguiente enigma: si la empresa, en lugar de regalar un coche, hubiese aumentado el salario anual de estos
empleados en 9.000 dólares, nadie habría salido perjudicado
y al menos unos pocos habrían salido ganando. El motivo es
que los trabajadores que realmente hubiesen querido un
BMW habrían podido comprarlo con el sobresueldo. Pero,
por muy bueno que sea este coche, es posible que algunos no
lo hubiesen querido. Éstos habrían salido ganando si hubiesen
podido gastar los 9.000 dólares adicionales en otras cosas. Entonces, ¿por qué las empresas dan coches en lugar de dinero?

En esencia, se trata de la misma duda que plantean los regalos que habitualmente se hacen a familiares y amigos. ¿Por
qué regalamos a nuestro primo una corbata que quizá no se
ponga nunca sabiendo que, si le damos el dinero, lo puede gastar en algo que realmente le gusta?

Algunos responderían que dar dinero es demasiado fácil

y, por tanto, no mostramos tanto cariño como cuando nos molestamos en salir a comprar un regalo. Tratándose de regalos pequeños, esta explicación puede valer, pero no es válida en el caso de los coches de lujo.

El economista Richard Thaler propone una manera más fructífera de abordar esta cuestión. Según este autor, los mejores regalos suelen ser cosas que no nos permitiríamos comprar.[10] ¿Por qué a un marido le hace tan feliz que su mujer le regale un juego de palos de golf de titanio de mil dólares que ha pagado con la cuenta corriente compartida? Tal vez el marido quería esos palos, pero no le parecía razonable gastar tanto dinero en ellos. Gracias a que la decisión la toma otra persona, él puede disfrutar de sus palos sin sentir ningún remordimiento.

Una ventaja de esta manera de ver los regalos es que de ella pueden extraerse algunas enseñanzas útiles para tomar este tipo de decisiones. Realicemos el siguiente experimento mental: de la siguiente lista de parejas de artículos de igual valor, ¿cuál de los dos es más apropiado regalar a un buen amigo?

- ¿Nueces de macadamia por un valor de 20 dólares (medio kilo) o cacahuetes por el mismo importe (cinco kilos)?
- ¿Un vale de 75 dólares para comer en Spago (una comida) o uno por el mismo importe para McDonald's (quince comidas)?
- ¿Arroz silvestre por un valor de 30 dólares (dos kilos) o arroz Uncle Ben's por el mismo importe (veinticinco kilos)?
- ¿Una botella (750 ml) de Reserva Cabernet Mondavi que cuesta 60 dólares o vino tinto Cribari por el mismo importe (38 litros)?

La mayoría de la gente considera que la opción más segura es, en todos los casos, la primera.

Esto permite explicar por qué Arcnet y otras empresas regalan berlinas BMW. Quizás algunos tengan reparo en decir a unos padres nacidos durante la Gran Depresión que han comprado un coche que cuesta el doble que un Toyota Camry. A otros puede preocuparles que sus vecinos piensen que intentan aparentar. O tal vez alguien siempre haya deseado tener un BMW, pero su cónyuge considera más apropiado reformar la cocina.

Un coche regalado por la empresa resuelve todos estos problemas. Desde el punto de vista del empleador, esta medida tiene también la ventaja de que beneficia a todos los empleados con más de un año de antigüedad, evitando así el agravio comparativo de la práctica alternativa, cada vez más habitual, de ofrecer a los empleados nuevas bonificaciones en efectivo no garantizadas.

¿Acabará convirtiéndose el mercado de trabajo estadounidense en un sistema de trueque? No es probable, ya que a muchas empresas no les conviene aplicar la política de Arcnet. Por ejemplo, es difícil que los franquiciados de Burger King ofrezcan a sus empleados Ford Escort de segunda mano la próxima vez que les falte personal. Al igual que otras muchas empresas que contratan a trabajadores no cualificados, lo más probable es que Burger King siga recurriendo al método clásico de las subidas de sueldo.

En cambio, parece que las retribuciones en especie seguirán extendiéndose entre las empresas que contratan a los trabajadores de mayor cualificación. Son ellas las que suelen tener dificultades para contratar y retener personal adecuado, un tipo de trabajadores a los que, precisamente, seducen las lujosas ofertas de las nuevas prácticas remunerativas.

Con el tiempo, es probable que vayan cambiando los regalos. Para que funcione esta política salarial, es necesario que los regalos sean atractivos, algo que siempre y en todo lugar ha dependido del contexto. Cuando, en 1991, John Grisham publicó su novela *La tapadera*, a muchos lectores les sorprendió que al joven abogado le diesen un BMW nuevo como bonificación, una política salarial que, aún hoy, atrae la atención de los medios de comunicación. Sin embargo, a medida que las empresas se sumen a esta práctica, irá perdiendo su atractivo de forma inevitable y los empleadores tendrán que pujar más fuerte. ¿Alguien duda de que los gestores de carteras y consultores de talento acaben desdeñando a las empresas que se atrevan a ofrecer menos que un Porsche 911 o una multipropiedad en Los Cabos? Los modelos económicos tradicionales dan por sentado que las personas tienen objetivos claramente definidos y que los persiguen de forma eficiente. Sin embargo, los últimos estudios en economía conductual revelan que en las decisiones que toman las personas pesa mucho el deseo de construir y conservar la identidad individual y de grupo.[11] Esto permite explicar muchas decisiones cuya lógica, desde el punto de vista de los modelos económicos tradicionales, no resultaba en absoluto evidente.

¿Por qué no se usan más los zapatos de velcro?
(Adam Goldstein)

Antes de que el inventor George de Mestral obtuviese la patente del velcro en 1955, aprender a atarse los cordones de los zapatos era un rito que marcaba la superación de la infancia. Desde entonces, los velcros han ido reemplazando a las cremalleras, ganchos, cordones y otros sistemas tradicionales de cierre en gran cantidad de objetos. En los zapatos, el velcro es un sistema de cierre que presenta ventajas claras con respecto a los cordones. Por ejemplo, los cordones pueden desatarse y provocar que una persona tropiece y se caiga. Asimismo, cerrar los zapatos con velcro es mucho más rápido y fácil que atarse los cordones. A pesar de todo, el velcro, que parecía que iba a desplazar completamente a los cordones, sigue siendo un sistema de cierre minoritario entre la población adulta. ¿Por qué sigue habiendo zapatos de cordones?

Desde el principio, el velcro se utilizó principalmente en

los zapatos de niños, ancianos y enfermos. Su éxito en los zapatos para niños se debe a que los más jóvenes tardan en aprender a atarse los cordones. Con los zapatos de velcro, estos niños—y sus padres—adquieren una independencia que ellos y sus progenitores agradecen. Entre los ancianos, el velcro se ha extendido por motivos de salud. Por ejemplo, a algunos ancianos les cuesta agacharse para atarse los cordones y otros tienen dificultades a causa de la artritis en los dedos.

El resultado es que el público asocia el velcro en los zapatos con incapacidad y debilidad. Aunque los zapatos de velcro son mucho más prácticos que los de cordones, de momento no parece probable que estos últimos desaparezcan.

¿Por qué los kamikazes llevaban casco? (Chanan Glambosky)

A raíz de las importantes derrotas militares de 1944, el ejército japonés inició una campaña de ataques suicidas en que los pilotos intentaban estrellar los aviones contra los buques de guerra estadounidenses. Dado que los aviones que pilotaban

Dibujo de Mick Stevens

El casco del kamikaze: ¿un símbolo de identidad?

estaban cargados de bombas, los pilotos morían casi siempre al chocar con el objetivo. Entonces, ¿por qué llevaban casco?

Una razón es que, al menos en algunos casos, los kamikazes sobrevivían a las misiones suicidas. Otra es que, antes de alcanzar el objetivo, era habitual que los aviones atravesasen zonas de turbulencia grave. No es raro, por tanto, que los jefes militares japoneses quisieran que sus pilotos llevasen una protección adecuada. Quizá más importante es que el casco de aviador se había convertido en un símbolo del piloto. Los kamikazes eran pilotos y todos los pilotos llevan casco.

Sin embargo, la principal razón de que los kamikazes llevasen casco es que el suicidio no era un componente explícito de la misión de los pilotos, que consistía en destruir los objetivos a toda costa. A menudo, eso significaba penetrar en una pantalla de fuego antiaéreo con pocas probabilidades de salir con vida. Otras, la única posibilidad de hacer estallar la carga mortífera era volar directamente hasta el objetivo. Pero los pilotos tenían la esperanza de volver a la base sanos y salvos, aun siendo conscientes de que la mayoría no volverían.

¿Por qué en las tiendas de ropa estadounidenses las tallas de las prendas de mujer son números (2-14) en lugar de medidas, como en las prendas de hombre? (Salli Schwartz, Sarah Katt)

En 1960, cuando un hombre con una cadera de 34 pulgadas (86 cm) y un largo interior de 33 pulgadas (83 cm) iba a comprar unos pantalones, buscaba unos con una etiqueta donde apareciese: «Cadera: 34, Largo: 33». Si un hombre con las mismas medidas fuese de compras hoy en día, haría exactamente lo mismo. En cambio, las tallas de las prendas de mujer—normalmente números pares que van del 0 al 18—no guardan ninguna relación clara con las medidas de las mujeres. Además, el número que en 1960 correspondía a una mujer de unas medidas determinadas, hoy en día estaría en una prenda que le quedaría demasiado grande a una mujer con esas mismas medidas. ¿Por qué las tallas de mujer son tan poco informativas?

En 1958, el Ministerio de Comercio aprobó una norma comercial para la ropa de mujer. No obstante, las tiendas de ropa en seguida descubrieron que sus ventas aumentaban si asignaban números inferiores a las prendas de cualquier tamaño, una práctica que llegó a conocerse como «tallaje de la vanidad». El sector de la moda se alejó tanto de la norma que, en 1983, el Ministerio de Comercio abandonó la norma. Actualmente, un fabricante que se negase a practicar el tallaje de la vanidad no podría sobrevivir en el mercado. Al parecer, muchas mujeres prefieren prendas con números de talla más pequeños porque eso crea una ilusión de esbeltez.

A medida que bajaban los números de las tallas, las mujeres han ido haciéndose más grandes. Hoy en día, el peso medio de las estadounidenses supera en unos doce kilos el de 1960. Por eso la disminución de los números de talla han compensado aproximadamente el aumento de las tallas. Cualquier mujer que haya entrado en una tienda de ropa de época puede atestiguar que una talla 8 de 1960 es mucho más pequeña que una talla 8 en la actualidad. Sin embargo, la talla 8 de hoy le vale a la mujer media de hoy, igual que la talla 8 de 1960 le valía a la mujer media de entonces.

También los hombres se han hecho más grandes con el paso del tiempo. ¿Por qué los fabricantes de ropa de hombre no practican el tallaje de la vanidad? Dado el número creciente de hombres que se hacen trasplantes de pelo y cirugía plástica, no se puede aducir que los hombres no son presumidos. Sencillamente, la escala de tallas de la ropa de hombre, al ser objetiva, no se deja manipular por los fabricantes con tanta facilidad como la de mujer.

¿Por qué casi todos los grandes almacenes colocan la ropa de hombre en las plantas inferiores y la de mujer en las superiores?
(Rima Sawaya)

En Macy's y Bloomingdale's, casi toda la ropa de hombre se encuentra en la planta baja, mientras que la mayor parte de la ropa de mujer se encuentra en las tres últimas plantas. Salvo contadas excepciones, los grandes almacenes de todo el mundo distribuyen la ropa de forma similar. ¿Por qué en muchos comercios es más fácil el acceso a la sección de ropa de hombre?

Aunque a la mayoría de hombres y mujeres les gusta estar bien vestidos en público, se suele decir que la apariencia cuenta más en la construcción de la identidad de la mujer. En cualquier caso, el hecho de que las mujeres gasten en ropa más del doble que los hombres sugiere que aquéllas se toman más en serio que éstos la compra de ropa. En consecuencia, pocas mujeres desistirían de ir hasta la sección de ropa femenina sólo porque tienen que coger un ascensor.

En cambio, cualquier obstáculo, incluso el menor, podría impedir que un hombre fuera hasta la sección de ropa masculina. La mayoría piensan que no necesitan un traje nuevo y, si comprarlo fuese sólo un poco más incómodo, muchos lo dejarían para más tarde.

Otra ventaja de situar la ropa de hombre en la planta baja es que a menudo las mujeres compran ropa a sus maridos. Es muy probable que una mujer que pasa por la sección de hombres coja un par de calcetines o de camisas de vestir para su marido. En cambio, como los hombres no suelen comprar ropa a sus mujeres, los grandes almacenes ganarían poco si invirtiesen la disposición de las secciones.

¿Por qué los entrenadores de béisbol van en chándal?
(Andrew Toburen)

El béisbol es el único deporte profesional importante en el que los entrenadores llevan el mismo uniforme que los jugadores. Los entrenadores de la liga NBA de baloncesto suelen llevar traje y corbata, igual que los entrenadores de la liga NHL de hockey. Por regla general, los entrenadores de la liga NFL de fútbol americano llevan parka y gorra de béisbol cuando están al borde del campo. ¿Por qué los entrenadores de béisbol son los únicos que van en chándal?

Si recordamos el espectáculo que ofrecía Don Zimmer, antiguo entrenador de los Chicago Cubs, cuando se acercaba cojeando hasta el montículo para conversar con uno de sus lanzadores, difícilmente responderemos que el chándal de béisbol realza el cuerpo de los hombres de edad madura avanzada.

Una explicación más admisible del chándal de los entrenadores de béisbol parte de la constatación de que el béisbol se convirtió en un deporte profesional organizado mucho antes que el baloncesto, el fútbol americano y el hockey. Como no había una idea previa de lo que debían llevar los entrenadores, no se supuso que tuviesen que vestir de forma distinta a la de los jugadores y, además, los primeros uniformes eran lo suficientemente sueltos como para ocultar las formas de un cuerpo que ha dejado muy atrás sus mejores años.

Es más, como el béisbol no es un deporte aeróbico, no es raro que incluso los jugadores tengan claramente varios kilos de más. Si un entrenador de béisbol rechoncho lleva chándal, llama menos la atención que un entrenador de baloncesto de similar condición física. Asimismo, el béisbol se diferencia de otros deportes en que los entrenadores suelen entrar en el campo, por ejemplo cuando van hasta el montículo para hacer cambios en el lanzamiento. Un hombre vestido en traje de negocios desentonaría mucho en esas situaciones. Un último motivo es que, en los primeros años del béisbol, muchos en-

Dibujo de Mick Stevens

Entrenadores en chándal: ¿por qué sólo en béisbol?

trenadores eran también jugadores y llevar chándal era lo más oportuno.

No obstante, a fin de comprender por qué los entrenadores de los demás deportes importantes no llevan chándal, lo más fácil es imaginarse lo ridículos que estarían con él. Por ejemplo, imaginemos a Jeff Van Gundy al borde del campo de los Houston Rockets vestido con pantalón corto y camiseta sin mangas, o a Bill Parcells con hombreras y los pantalones cor-

241

tos ajustados de los Cowboys, o a Ted Nolan con el uniforme completo de los Islanders de Nueva York. Tal vez los uniformes de béisbol no realcen el cuerpo de un hombre de edad madura, pero los entrenadores de béisbol están mucho menos ridículos en chándal de lo que estarían los entrenadores de los otros deportes si lo llevaran.

El siguiente ejemplo aclara un principio que los empresarios han comprendido hace mucho tiempo pero que, hasta ahora, los economistas no habían tenido suficientemente en cuenta: un poco de psicología de sentido común permite idear estrategias comerciales susceptibles de mejorar de modo considerable los beneficios de una empresa.

¿Por qué la publicidad de Target insiste tanto en los medicamentos con receta que venden las farmacias que se encuentran dentro de sus establecimientos? (Kate Rubinstein)

Los grandes almacenes Target venden una gran variedad de productos y, aunque hacen publicidad y promociones de muchos de ellos, ponen un énfasis especial en los medicamentos con receta que venden las farmacias de sus establecimientos. Por ejemplo, cuando Target abre una sucursal, envía gran cantidad de vales de descuento, muchos de ellos relacionados con su farmacia. («Lleve su receta a la farmacia de Target y consiga un descuento de 10 dólares en la siguiente compra».) ¿Por qué dan tanta importancia a esto?

Con suerte, las personas que entran en Target y entregan una receta al farmacéutico sólo tienen que esperar cinco minutos hasta que éste trae el medicamento. Pero, si hay muchos clientes en la farmacia, la espera se puede prolongar hasta veinte minutos o más. Sabiendo de antemano que van a tener que esperar, los consumidores racionales traerían algo para leer. Pero, al parecer, los directivos de Target se dan cuenta de que muy pocos consumidores son tan previsores. Asimismo, saben que, en general, los consumidores no van a quedarse parados esperando a que llegue el medicamento. Los pasillos llenos de artículos apetecibles están tan cerca que la mayoría de los consumidores dan un paseo por la tienda. Atraer clientes a la farmacia es una manera efectiva de conseguir que realicen otras compras.

En el capítulo 6 vimos varios ejemplos de leyes y normativas que solucionaban los conflictos entre individuos y grupos. Otra manera de solucionar estos problemas es que los grupos adopten normas sociales con el fin de equilibrar los intereses individuales y colectivos. Cuando hay más personas esperando en la parada que plazas en el autobús, los intentos de conseguir una buena posición suelen dar lugar a roces. Sin embargo, por muy agresivas que se pongan las personas, el número de asientos disponibles seguirá siendo el mismo. En los países de la Commonwealth se ha resuelto este problema con una norma, a saber, los primeros que llegan a la cola tienen derecho, reconocido por todos los presentes, a sentarse primero. Este tipo de normas propician la eficiencia y la buena convivencia. No obstante, en el último ejemplo de este capítulo veremos que, en ocasiones, la norma de que el primero que llega tiene prioridad produce efectos indeseados.

¿Por qué a veces la cortesía es contraproducente en los puentes de un solo carril? (Mario Caporicci, Scott Magrath)

En Ithaca, Nueva York, hay varios puentes de un solo carril. Con los años se ha ido implantando una norma que regula la prioridad de paso en los puentes, a saber, el primero que llega, pasa. Según esta norma, un coche no debe entrar en el puente

Dibujo de Mick Stevens

El primero que llega pasa: una norma que no siempre es eficiente.

si ya hay un coche esperando al otro lado. Con esta norma se pretende evitar que el tráfico continuado en un sentido obstruya el acceso al puente durante mucho tiempo. Como se ha dicho, en muchos casos, quizás en casi todos, las normas sociales que obligan a refrenarse tienen como resultado una mayor eficiencia de la que habría sin ellas. Pero, en este caso, el intento de ser cortés suele resultar menos eficiente. ¿Por qué se atienen los conductores a esta norma?

Para empezar, imaginemos cómo sería el tráfico en el puente si no hubiese ninguna norma. Supongamos que un conductor llega por el norte, encuentra el puente vacío y entra en el puente. Una décima de segundo después, llega un segundo conductor por el sur y, viendo que ya hay un coche en el puente que viene de frente, decide esperar a que el primer conductor termine de cruzar. Sería una tontería no hacerlo así, pues si entrase, uno de los conductores tendría que dar marcha atrás para salir del puente y dejar pasar al otro conductor.

Supongamos que, cuando el primer conductor lleva diez segundos y le quedan veinte para terminar de cruzar, llega un tercer conductor, también por el norte, y entra en el puente. De nuevo, lo mejor que puede hacer el segundo conductor es seguir esperando. Si llegasen más coches por el norte a intervalos de menos de treinta segundos, podrían entrar en el puente siguiendo al coche anterior y prolongar así la espera del segundo conductor. En momentos de mucho tráfico, quizá los conductores que vienen del sur se viesen obligados a esperar varias horas para cruzar.

La norma social de Ithaca intenta impedir que esto ocurra regulando el paso de los conductores en el orden en que llegan, ya sea de una dirección o de otra. En la situación anterior, la norma exige al tercer conductor que pare hasta que termine de cruzar el segundo conductor. Para eso, aquél tiene que refrenarse, porque si hubiese entrado en el puente siguiendo al primer coche, el segundo conductor no habría podido impedírselo. Se habría visto obligado a esperar a que el tercer conductor (y los que viniesen justo detrás) terminase de pasar.

¿Funciona bien esta norma? Cuando el tráfico es denso en ambas direcciones, los tiempos de espera son mayores que si la norma no existiera.

Supongamos que llegan sendas caravanas de diez coches en los dos sentidos y, en ambos casos, la separación entre coche y coche es de diez segundos. El primer coche de la caravana que se dirige hacia el norte llega al puente una fracción de segundo antes que el primero de la caravana de enfrente. Si ninguno respetase la norma de que el primero que llega, pasa, los diez coches que van en dirección norte cruzarían el puente y, a continuación, cruzarían los diez coches de la otra fila. Los primeros no tendrían que esperar nada y, como podrán comprobar los lectores con un lápiz, un papel y un poco de paciencia, los segundos esperarían en total doce minutos y treinta segundos.[12]

En cambio, si todos se ajustasen a la norma de que el primero que llega, pasa, cruzaría el primer coche con dirección norte, luego el primero con dirección sur, y así sucesivamente. Si el lector tiene la paciencia de sumar las esperas, comprobará que el tiempo de espera total asciende a 80 minutos—37,5 minutos los coches que se dirigen hacia el norte y 42,5 minutos los del sentido contrario—, es decir, más de seis veces más de lo que esperarían si no hubiese ninguna norma.[13]

La norma de que el primero que llega tiene prioridad no sólo incrementa el tiempo total de espera de forma considerable, sino que da lugar a una distribución menos equitativa de los tiempos de espera. No obstante, en Ithaca estos problemas surgen únicamente cuando hay mucho tráfico, algo que rara vez sucede.

A pesar de sus defectos, la citada norma se ha mantenido a lo largo del tiempo. Después de cruzar, es habitual que los conductores saluden al primero de la fila que espera al otro lado en un gesto de reconocimiento porque éste podría haber pasado detrás del coche anterior, pero ha parado.

EL MERCADO INFORMAL DE LAS RELACIONES PERSONALES

Aunque las relaciones sociales se basan principalmente en el sentimiento, no se sustraen en absoluto a la lógica económica. Por ejemplo, consideremos la conexión entre el patrimonio y el atractivo personal. Todos quieren una casa en un barrio seguro con colegios buenos, pero las personas de rentas bajas no tienen la seguridad de que la vaya a conseguir. Por eso, a los economistas no les sorprende que, en las encuestas, las mujeres mencionen la capacidad de generar ingresos como el rasgo que más les atrae de los hombres, o uno de los que más.

En la novela *El gran Gatsby* de Scott Fitzgerald, James Gatz sabe que, dada su modesta posición en la vida, es improbable que pueda obtener la mano de su adorada Daisy. Por eso, adopta el nombre de Jay Gatsby y pone todo su empeño y determinación en conseguir una fortuna lo más grande posible.

La teoría de Adam Smith sobre las diferencias salariales que compensan (véase el capítulo 3) permite comprender cierto detalle del proyecto de Gatsby. Según esta teoría, cuanto más desagradable es un trabajo, mejor remuneración recibe. En consecuencia, entre las mayores compensaciones se encuentran las que perciben personas muy cualificadas que están dispuestas a hacer un trabajo de dudosa moralidad. Gatsby se dio cuenta de que, si quería tener alguna posibilidad de lograr su objetivo, no podía permitirse la cautela ni los escrúpulos.

Fitzgerald no menciona explícitamente de qué modo amasó Gatsby su fortuna. Sin embargo, deja bastante claro que éste procedió de forma no sólo moralmente dudosa, sino ilegal. Gatsby era perfectamente consciente de que, si lo cogían y encarcelaban, su sueño se esfumaría. Pero, si hubiese tomado más precauciones, no habría tenido ninguna posibilidad de éxito.

Los ejemplos de este capítulo se basan en la concepción económica de que el mercado informal de las relaciones sociales se rige por los mismos principios de oferta y demanda que regulan el comportamiento en otros mercados. Con este enfoque, los economistas no pretenden negar la importancia del amor en las decisiones relativas al matrimonio. De hecho, se dice que el propio Fitzgerald, que estaba convencido de que las cuestiones materiales cuentan en la búsqueda de pareja, recomendaba a sus amigos que no se casasen por dinero: «Ve a donde está el dinero y, luego, cásate por amor».

Aunque cada una de las seis mil millones de personas que hay en el mundo difieren de las demás en muchos sentidos, todas parecen valorar ciertas cualidades en sus parejas potenciales. Algunas de estas cualidades varían de una cultura a otra, pero otras, muchas más de lo que cabría esperar, son comunes a casi todas las culturas. Por ejemplo, una parte importante de la población mundial prefiere que su pareja sea cariñosa, sincera, fiel, sana, inteligente y atractiva. Por regla general, las mujeres reconocen que les atraen los hombres que tienen ingresos elevados.[1] Los hombres, que antes no solían mencionar la capacidad de generar ingresos cuando se les pedía que dijesen lo que más les atrae de las mujeres, han empezado a mencionarla en las últimas encuestas realizadas en Estados Unidos.[2]

El poder adquisitivo de que dispone cada persona en el mercado informal de las parejas es el conjunto de cualidades que posee. Para simplificar el problema, es habitual calcular el poder adquisitivo de un pretendiente como una media ponderada de las cualidades personales que posee. En este cálculo, los coeficientes de ponderación representan la importancia relativa de las distintas cualidades. A cada pretendiente se le asigna un número del uno al diez que es más alto cuanto más deseable sea su combinación de cualidades. A continuación, se presupone que todos los pretendientes se guían por la regla: «Cásate con el mejor hombre o la mejor mujer que quiera casarse contigo». El resultado es una distribución de parejas en la que los dieces se emparejan con los dieces, los nueves con los nueves, y así sucesivamente.

No hace falta decir que esta descripción de cómo se emparejan las personas es enormemente fría. No obstante, puede arrojar luz sobre algunos de los comportamientos que observamos en las relaciones entre personas que buscan pareja.

¿Por qué ha aumentado la edad media del primer matrimonio?
(Justin Grimm)

En Estados Unidos, la edad media de las personas que se casan por primera vez fue, en 1960, de 22,8 años en los hombres y 20,3 en las mujeres. Estas edades fueron aumentando hasta llegar en 2004 a 27,4 y 25,8 años respectivamente.[3] En otros países se ha producido el mismo fenómeno. En Australia, por ejemplo, la edad media de las personas que contraen matrimonio por primera vez fue, en 2001, de 28,7 años en los hombres y 26,9 en las mujeres, mientras que, en 1970, tan sólo fueron 23,4 y 21,1 respectivamente.[4] ¿Por qué ahora la gente tarda más en casarse?

Una razón es que el crecimiento de la renta ha ido permitiendo a más personas acceder a niveles superiores de formación y, paralelamente, han aumentado los niveles de cualificación exigidos para cada tipo de trabajo. Por ejemplo, mientras que hace un siglo una persona que hubiese terminado el bachillerato podía optar a un puesto de cajero en un banco, hoy casi todos los bancos contratan a licenciados universitarios para realizar ese trabajo. Asimismo, con la creciente competitividad de los mercados de trabajo, las notas y demás medidas de rendimiento académico han ido influyendo cada vez más en el éxito profesional.

Desde estos dos puntos de vista, el coste de oportunidad de casarse pronto ha aumentado. Por ejemplo, a una persona que se casa joven, especialmente si tiene hijos, le cuesta mucho más realizar estudios universitarios. Además, en la medida en que las personas desean casarse con un buen partido, tienen que esperar más tiempo porque la información necesaria para predecir la evolución económica de su pareja tarda más en estar disponible.

Antes se consideraba que casarse pronto tenía, entre otras ventajas, la de conseguir una buena pareja antes de que se cerrasen todas las opciones válidas. Hoy en día son menos los motivos para preocuparse por quedarse soltero. Con el aumento de la renta, la formación y la movilidad ha ido creciendo la reserva de personas disponibles. Por tanto, el coste de oportunidad de dejar escapar a una pareja apetecible cuando se es joven ya no es tan alto como antes.

Otra ventaja de casarse pronto era tener hijos cuando todavía se tenían la fuerza y la salud necesarias para criarlos y cubrir todas sus necesidades. Pero este factor ha ido perdiendo importancia en las últimas décadas debido a los avances en medicina y al consiguiente aumento de la longevidad.

En resumen, los costes de casarse pronto han aumentado y los beneficios han disminuido. Eso puede explicar por qué ha subido la edad media de las personas que se casan por primera vez.

¿Por qué es más fácil encontrar pareja cuando ya se está emparejado? (Hetal Petal)

Un joven se hace muy amigo de una joven hermosa. Su relación es exclusivamente platónica. Una noche, ella le propone ir a un bar y le dice: «Te voy a ayudar a que conozcas a alguien esta noche». Los dos amigos fueron a un bar y ella estuvo especialmente cariñosa. Allí sentados, delante de los demás clientes, ella le acariciaba el brazo, lo miraba a los ojos de forma apasionada y le hablaba al oído de vez en cuando. Luego, dijo que se iba y acordó con él que se verían al día siguiente para tomar un café. Después de que ella se fuese, se acercaron al muchacho varias jóvenes guapas. Él se quedó atónito. ¿Por qué de repente esas mujeres mostraban tanto interés por él?

Al día siguiente, durante el café, él le contó a su amiga el éxito que había tenido, del cual ella no se sorprendió en absoluto:

—Sabía perfectamente lo que iba a ocurrir—dijo.

Luego, a modo de explicación, añadió:

—Es difícil saber a simple vista si alguien merece la pena.

Eso es precisamente lo que dedujeron las demás mujeres del bar al ver que ella, una joven hermosa y, por tanto, muy solicitada, dedicaba tanta atención a un hombre que, obviamente, conocía muy bien.

Esta experiencia le pareció al joven un ejemplo más del «efecto Mateo»: «Porque a todo el que tiene, se le dará y le sobrará» (Mateo 25, 29). Dicho de otro modo, ¡cuando llueve, caen chuzos!

¿Por qué se suele considerar atractivo el recato?

Los hombres y mujeres solteros y en edad de casarse suelen poner mucho empeño en encontrar a una pareja posible. Frecuentan bares, se hacen socios de clubes, se apuntan a gimnasios, van a misa, piden ayuda a sus amigos y familiares y recurren a agencias matrimoniales y empresas de contactos. No obstante, suelen rechazar a parejas que podrían interesarles si éstas manifiestan demasiado su ansia de encontrar pareja. ¿Por qué se valora el recato en los pretendientes?

En los últimos años de su carrera, Groucho Marx dijo una vez que no le gustaría pertenecer a ningún club que quisiese aceptarlo. Sin duda, si alguien pretende encontrar pareja con esta actitud, no le va a resultar fácil. Sin embargo, Marx puso el dedo en la llaga.

Como se ha dicho, muchas personas aspiran a tener una pareja cariñosa, inteligente, sana, sincera, emocionalmente estable y atractiva. Algunas de estas cualidades son fáciles de detectar y, otras, no tanto. Una persona que poseyese todas estas cualidades estaría muy solicitada y, por tanto, poco desesperada por encontrar pareja. Justo lo contrario le ocurriría a una persona que supiese que falla en muchas de las cualidades que no se detectan a simple vista. Es probable que haya sido rechazada muchas veces y no pueda ocultar su ansia por conseguir pareja.

Por eso, un cierto grado de recato resulta atractivo. Las personas que saben que valen no suelen estar desesperadas por encontrar pareja.

¿Por qué las personas que viven en zonas rurales se casan antes que las que viven en zonas urbanas? (Matt Hagen)

Entre el año 2000 y el 2003, la edad media del primer matrimonio en Virginia Occidental, un estado predominantemente rural, fue de 25,9 años en los hombres y 23,9 en las mujeres.[5] En cambio, la edad media del primer matrimonio en Nueva Jersey, un estado predominantemente urbano, fue de 28,6 años en los hombres y 26,4 en las mujeres. ¿Por qué la gente que vive en el campo se da más prisa en casarse?

Una de las desventajas de casarse pronto es que aumentan las probabilidades de divorcio. Por eso, todos los matrimonios, tanto en el campo como en la ciudad, tendrían más probabilidades de durar si esperasen un poco más de tiempo antes de formar una familia. No obstante, hemos visto que no siempre lo que conviene al grupo atrae a los individuos. Por ejemplo, cuando alguien encuentra a una pareja muy deseable, es posible que no vea sólo las ventajas de esperar un tiempo, sino también los inconvenientes, entre ellos el riesgo de que otra persona se la lleve.

Aunque no hay dos personas iguales, si alguien deja pasar la oportunidad de casarse con una persona especial en una gran ciudad, la cantidad de solteros jóvenes es lo suficientemente grande como para que, tarde o temprano, apareza un sustituto. En cambio, en un entorno rural, si alguien deja pasar la oportunidad de casarse con una pareja prometedora, tiene muchos motivos para dudar de que la siguiente mejor oportunidad sea tan atractiva, pues son incontables los factores que influyen en que dos personas se atraigan.

Por tanto, la costumbre de casarse más joven en las zonas rurales puede ser un ejemplo más del conocido conflicto entre los incentivos individuales y colectivos. Aunque todos saldrían beneficiados si esperasen, los individuos aislados suelen preferir aprovechar una buena oportunidad cuando se presenta.

Otra diferencia importante es que el nivel de formación suele ser menor en las zonas rurales y, en proporción, hay menos personas que emprenden carreras profesionales con buenas perspectivas que tardan en realizarse. Por eso, uno de los motivos para posponer el momento del matrimimio, a saber, el hecho de que la información necesaria para predecir el éxito profesional tarde en estar disponible, no desempeña un papel tan importante en las zonas rurales.

El modelo económico del mercado de las relaciones sociales puede aplicarse no sólo a la forma en que las personas se cortejan, sino también a las leyes de que se dotan las sociedades para regular el matrimonio, así como a las decisiones que toman las personas en relación con el divorcio.

Suele darse por sentado que la poligamia beneficia a los hombres y perjudica a las mujeres. Si es así, ¿por qué la prohíben los legisladores, que en su mayoría son hombres?

Muchas personas creen que los adultos deberían tener libertad para hacer lo que les plazca, siempre y cuando no causen a otras personas un daño inaceptable. Por supuesto, lo difícil es definir lo que es un daño inaceptable. «Big Love», la serie televisiva de la cadena HBO protagonizada por una imaginaria familia polígama de Salt Lake City, ha reabierto el debate en torno a esta cuestión.

Barb, Nicki y Margene, las tres heroínas de «Big Love», eligieron como marido a Bill Henrickson, un próspero empresario capaz de cubrir ampliamente las necesidades de su gran familia. ¿Debería la sociedad prohibir estas situaciones porque causan un daño inaceptable a otras personas? En ese caso, ¿quién sufre ese daño exactamente y cómo lo sufre? Al parecer, el modelo económico del mercado informal de los cónyuges tiene algo interesante que decir sobre esto.

El argumento tradicional contra la poligamia es que perjudica a las mujeres, especialmente a las más jóvenes, que a veces la practican en contra de su voluntad. Huelga decir que la sociedad debería prohibir que alguien se case a la fuerza, ya se trate de un matrimonio monógamo o polígamo. Sin embargo, las mujeres maduras que eligen libremente la poligamia manifiestan su preferencia por este tipo de unión. Por tanto, si la poligamia es perjudicial para las mujeres, las víctimas deben ser aquellas que prefieren la monogamia.

No es difícil comprender por qué salen perjudicadas algunas de estas mujeres. Por ejemplo, en un mundo monógamo, Bill habría sido el primero de la lista de Barb y viceversa. En cambio, si la poligamia está permitida, es posible que Bill quiera casarse no sólo con Barb sino también con Nicki y Margene. Entonces, Barb se vería obligada a elegir entre dos alternativas menos preferibles: seguir buscando una pareja monógama o aceptar un matrimonio polígamo que le disgusta.

El hecho de que la legalización de la poligamia pueda privar de posibilidades interesantes a algunas mujeres no quiere decir que haga un daño inaceptable a las mujeres en general. Por ejemplo, supongamos que se legaliza la poligamia y un 10 por 100 de los hombres adultos toman una media de tres esposas, mientras que los demás matrimonios continúan siendo monógamos. Los monógamos en busca de pareja se encontrarían con que sólo habría siete mujeres por cada nueve hombres. Gracias a este exceso de hombres en el mercado informal de las parejas monógamas, las mujeres tendrían un mayor poder de negociación. Las esposas tendrían que cambiar menos pañales y, posiblemente, sus padres se librarían de financiar bodas.

¿Y qué ocurriría con los hombres? Aquí también saldrían ganando algunos hombres. Tiene que haber más hombres como Bill Henrickson de «Big Love», que, además de querer tener tres esposas, sean capaces de conseguirlas.

¿Y los que prefieren la monogamia? Hemos visto que la legalización de la poligamia provocaba un desequilibrio entre las mujeres y los hombres monógamos. Al haber muchas menos mujeres solteras, la situación de los hombres empeoraría (como ha ocurrido en China a consecuencia del infanticidio femenino). Incluso muchos hombres se quedarían sin pareja.

En resumen, la lógica de la oferta y la demanda pone patas arriba la idea tradicional acerca de la poligamia. Si alguien sale perdiendo, lo más probable es que sean los hombres, no las mujeres.

Un hecho que corrobora esta conclusión es la costosa competencia entre los hombres por obtener el favor de un número reducido de mujeres, una lucha inútil porque los esfuerzos de los hombres se anularían mutuamente. Dada la escasez crónica de mujeres, los hombres se verían aún más presionados que ahora para prosperar económicamente y mejorar sus cualidades. Muchos más hombres se harían operaciones de cirugía estética. Aumentaría el gasto en anillos de compromiso. Los ramos del día de los enamorados tendrían *dos* docenas de rosas. Sin embargo, por muchos esfuerzos que hiciese cada uno, no cambiaría el número de hombres que se quedarían solteros.

Aparte de otras posibles funciones que puedan cumplir, las leyes contra la poligamia actúan a modo de acuerdos de control armamentista que hacen la vida menos difícil a los hombres. Eso podría explicar por qué gustan a los legisladores que, en su mayoría, son hombres.

¿Por qué se deshacen tantos matrimonios de militares al cabo de diez años? (Andrew Blanco)

Según uno de los primeros estudios que se hicieron sobre este asunto, la probabilidad de que una pareja se divorcie es máxima al tercer año de matrimonio, desciende bruscamente en el séptimo año y, a continuación, sigue bajando gradualmente.[6] No obstante, se dice que el índice de divorcios de las parejas en que un cónyuge es militar aumenta significativamente durante el undécimo año de matrimonio. ¿Cómo podríamos explicar esta diferencia?

Puede extraerse una hipótesis admisible de la Ley para la Protección de los Cónyuges de los Miembros de los Cuerpos Uniformados (USFSPA), la cual fija las condiciones en que los ex cónyuges pueden reclamar parte de las prestación que reciben los militares retirados.[7] Después de diez años de matrimonio con un militar en activo, el ex cónyuge tiene derecho a una parte prorrateada de la pensión de jubilación de aquél, un dinero que cobra directamente del Servicio de Finanzas y Contabilidad del Ministerio de Defensa. Esperando al décimo aniversario, los ex cónyuges de militares evitan depender de que éstos cumplan con las obligaciones derivadas de los acuerdos de divorcio en relación con la distribución de la pensión.

El mercado informal de las parejas, además de arrojar luz sobre cómo pueden influir ciertos rasgos y preferencias en las decisiones de las personas, puede repercutir en las combinaciones de cualidades que observamos en las personas.

¿Por qué, de promedio, las personas físicamente atractivas son también más inteligentes que las demás?
(Satoshi Kanazawa, Jody Kovar)

Según las encuestas, las personas que resultan físicamente atractivas a los demás también les parecen más inteligentes. Asimismo, se ha comprobado que los niños guapos suelen obtener mejores notas en la escuela. Esto último se ha atribuido muchas veces a la imparcialidad de los maestros, pero un análisis económico del mercado de las parejas hace admisible que, efectivamente, los niños guapos sean más inteligentes.

Los psicólogos evolutivos Satoshi Kanazawa y Jody Kovar han aportado pruebas convincentes de las cuatro siguientes afirmaciones: (1) Los hombres más inteligentes suelen alcanzar una posición social y económica superior. (2) Normalmente, los hombres prefieren casarse con mujeres hermosas. (3) Normalmente, las mujeres prefieren casarse con hombres que gozan de una buena posición social y económica. (4) Tanto la inteligencia como el atractivo físico son caracteres con un componente hereditario significativo.[8] Si son ciertas las tres primeras afirmaciones, se deduce lógicamente que las mujeres relativamente atractivas tiendan a casarse con hombres relativamente inteligentes. En consecuencia, si la belleza y la inteligencia se heredan, los hijos de esos matrimonios tienen más probabilidades de poseer ambas cualidades en un grado superior a la media.

En resumen, lo que sabemos acerca del mercado informal de las relaciones personales nos permite explicar por qué no es descabellada la hipótesis de que hay una correlación entre la belleza y la inteligencia.

¿Por qué un hombre que prefiere a las mujeres morenas tiene más
probabilidades de conseguir una mujer más cariñosa, sana,
guapa e inteligente que si prefiriese a las rubias?

Se dice que los caballeros las prefieren rubias, una preferencia
que confirman las encuestas realizadas en los países occidentales.[9] Pero, supongamos que un hombre pudiese elegir el color de pelo que más le atrae. ¿Tendría buenas razones para
preferir a las morenas?

Como hemos visto en páginas anteriores, el poder adquisitivo que tiene un hombre en el mercado informal de las parejas es un índice que dicho mercado asigna a su combinación de
rasgos personales. El índice asignado a cada hombre se mantiene fijo al menos durante un tiempo. La principal afirmación
de este modelo es que un hombre con un índice dado acaba em-
parejándose con una mujer con un índice similar. Por ejemplo,
aunque un hombre con nueve puntos podría casarse con una
mujer diez, lo normal es que una mujer así tenga opciones mejores. Siendo realistas, lo más probable es que un hombre nueve se case con una mujer nueve.

Sin embargo, tanto en un sexo como en otro, existen muchas combinaciones diferentes de cualidades que pueden dar
lugar a un índice de nueve. Entre las personas con una misma
puntuación, un valor mayor en una cualidad determinada
implica valores inferiores en las demás cualidades. Por eso, si
tener el pelo rubio contribuye positivamente al índice del
atractivo de las mujeres, entonces una rubia con nueve puntos
destacará menos que una morena con la misma puntuación en
el resto de cualidades de la combinación tomadas en su conjunto. De promedio, será menos sana, menos inteligente, menos cariñosa y, exceptuando el pelo, menos guapa. Por tanto,
si un caballero pudiese decidir que las prefiere morenas, tendría buenos motivos para tomar esa decisión.

Si las personas atractivas son más inteligentes que el resto
y si las rubias son consideradas más atractivas,
¿por qué hay tantos chistes sobre rubias tontas?

Con una simple búsqueda en Internet, podemos encontrar miles de chistes sobre rubias tontas, por ejemplo:

Un matrimonio está durmiendo y suena el teléfono a las dos de la madrugada. La esposa, una rubia, coge el teléfono y dice:
—¡Y yo cómo lo voy a saber, está a trescientos kilómetros de aquí!—y cuelga.
El marido dice:
—¿Quién era?—; ella responde:
—No sé, una mujer que quería saber si hay moros en la costa.

Estos chistes representan una paradoja desde el punto de vista de la economía. Como hemos dicho, las encuestas revelan que a los hombres les parecen más guapas las rubias que las morenas. Los estudios señalan también que las personas consideradas atractivas suelen ser más inteligentes que la media. Entonces, ¿por qué existen tantos chistes sobre rubias tontas?

El que a una persona se la considere inteligente no sólo depende de sus capacides innatas, sino también de si las desarrolla invirtiendo en formación. A su vez, al tomar decisiones sobre cuánto van a invertir en educación, las personas comparan los beneficios que puede reportarles dicha inversión con los beneficios de otras inversiones alternativas. Si es cierto que las rubias les resultan más atractivas a los hombres, entonces tener el pelo rubio puede brindar oportunidades interesantes que no requieren una gran inversión en formación.

Por tanto, la sensación de que las rubias son menos inteligentes que las morenas puede deberse no tanto a una dife-

rencia innata en sus capacidades mentales cuanto a una decisión racional de invertir menos en formación. O tal vez haya
morenas envidiosas con tiempo de sobra que disfrutan inven-
tando chistes sobre rubias tontas.

Los críticos tienen razón al objetar que al frío modelo económico sobre el mercado implícito de las relaciones personales
se le escapan aspectos muy importantes. Aunque este modelo
ayuda a explicar ciertos patrones de cortejo, ignora un elemento fundamental de los matrimonios bien avenidos, a saber,
el compromiso, un elemento que, por su naturaleza, es en
gran medida independiente de las consideraciones materiales.

Cualquiera que haya vivido en una casa alquilada y haya
tratado con el propietario sabe lo importante que es el compromiso en las relaciones bilaterales. Por ejemplo, supongamos que una persona se traslada a una ciudad y necesita encontrar un piso. Si es una ciudad grande, por ejemplo Los
Ángeles, no puede visitar todos y cada uno de los pisos que están en alquiler, de modo que tendrá que consultar las guías
inmobiliarias y ver unos cuantos para hacerse una idea de
cómo está el mercado: los precios, los servicios, la situación
y cualquier otro aspecto que considere importante. La búsqueda avanza y, por fin, la persona encuentra un piso que le
parece especialmente interesante comparado con otros que ha
visto y que le han servido para formarse una idea de las posibi-

lidades que ofrece la ciudad. Quiere cerrar un trato. En ese momento, *sabe* que hay un piso mejor en algún lugar de la ciudad, pero su tiempo es demasiado valioso como para seguir buscando. Quiere continuar con su vida.

Una vez tomada la decision, el siguiente paso importante es contraer un compromiso con el propietario del piso. La persona no quiere hacer la mudanza y, al cabo de un mes, cuando ya ha comprado las cortinas, colgado los cuadros, contratado la línea de teléfono y cable, etcétera, verse obligada a dejar el piso. Aparte del trastorno de tener que buscar otro sitio para vivir, marcharse supone perder la inversión en tiempo y dinero que ha realizado.

También al propietario le interesa que el inquilino se quede un tiempo largo, pues tuvo que hacer muchas gestiones y gastos para alquilar el piso. Puso anuncios y enseñó el piso a decenas de personas interesadas en el piso que no ofrecían tanta confianza ni garantías de permanencia como la persona elegida.

En consecuencia, aunque el inquilino sabe que hay pisos mejores y el propietario sabe que hay inquilinos mejores, a ambos les interesa comprometerse a ignorar esas oportunidades. La solución convencional es suscribir un contrato de arrendamiento que obliga a ambos a renunciar a las ofertas interesantes que puedan presentarse en el futuro. Si el inquilino se va de la casa, está obligado a pagar el alquiler hasta el final del contrato. Si el propietario pide al inquilino que se marche, éste puede negarse porque el contrato le otorga ese derecho.

Gracias a esta posibilidad de contraer un compromiso firmando un contrato, los inquilinos están dispuestos a pagar más por los pisos y los propietarios a cobrar menos por ellos. Sin las garantías que ofrece un compromiso contractual, muchos intercambios beneficiosos no se producirían. Los contratos de arrendamiento cierran opciones interesantes, pero por eso precisamente los firman las partes.

Cuando una persona busca pareja, se enfrenta a un problema de compromiso que, en esencia, es el mismo. Busca una pareja pero no le vale cualquiera. Después de unas cuantas relaciones, tiene la sensación de que sabe más o menos cómo son las personas: las actitudes que tienen, sus principios morales, sus intereses culturales, sus maneras de divertirse, sus capacidades sociales y profesionales, etcétera. Una de las personas que conoce le atrae especialmente. Con suerte, la otra persona siente lo mismo. Los dos quieren dar un paso adelante y apuestan por la relación. Quieren casarse, comprar una casa, tener hijos. Sin embargo, lo que dota de sentido a casi todas estas decisiones es que ambos esperan que la relación dure mucho tiempo.

Pero ¿y si algo sale mal? Independientemente del ideal de pareja que tenga la otra persona, ésta sabe que siempre va a haber alguien que se aproxima más que ella a ese ideal. ¿Y si aparece ese alguien especial? O bien ¿y si uno de los dos enferma? Igual que los propietarios y los inquilinos tienen mucho que ganar si se comprometen, a los cónyuges les interesa también cerrarse posibilidades.

El contrato matrimonial es una manera de conseguir el compromiso deseado. Con todo, no parece que un contrato legal sea muy adecuado para crear el tipo de compromiso que quieren las dos partes. Incluso si se aplicasen medidas legales draconianas, lo único que se conseguiría es obligar a las personas a conservar parejas que preferirían dejar. Un matrimonio así difícilmente logra los objetivos que inicialmente perseguían los cónyuges.

El compromiso ofrece muchas más garantías si se refuerza el contrato legal con lazos afectivos. La realidad es que muchas relaciones no peligran cuando aparece una tercera persona más cariñosa, con más dinero, más encantadora y más guapa. Si alguien está unido emocionalmente a su cónyuge, no *quiere* aprovechar las oportunidades que surgen incluso aunque éstas, desde un punto de vista puramente objetivo, parezcan más prometedoras.

Eso no quiere decir que los compromisos emocionales sean inquebrantables. ¿Quién no se preocuparía, al menos un poco, si se enterase de que su mujer ha cenado esa noche con George Clooney o que su marido se ha tomado una copa con Scarlett Johansson? Sin embargo, incluso los compromisos emocionales imperfectos evitan a las parejas este tipo de preocupaciones la mayor parte del tiempo.

Lo esencial es que, incluso aunque los compromisos emocionales cierren oportunidades que podrían ser buenas, proporcionan beneficios importantes.[10] Desde el frío punto de vista del cálculo coste-beneficio, el compromiso emocional con el cónyuge merece la pena porque incita a realizar inversiones saludables. Sin embargo, y eso es lo más curioso, estos compromisos funcionan mejor cuando evitan que la gente analice sus relaciones matrimoniales en términos de coste-beneficio.

Los estudios realizados sugieren que las personas que enfocan la vida conyugal con la perspectiva de un contable están menos satisfechas con su matrimonio que las que no llevan la contabilidad;[11] además, cuando los terapeutas intentan que sus pacientes piensen en sus relaciones en términos de coste-beneficio, el remedio suele ser peor que la enfermedad. Tal vez la evolución no nos diseñó para que veamos así las relaciones personales.

DOS ORIGINALES

Una de las decisiones más difíciles que tuve debí tomar cuando comencé a escribir este libro fue hasta qué punto iba a modificar los ensayos de los estudiantes en que se basan la mayoría de los ejemplos. Aunque muchos trabajos plantearon preguntas interesantes, a veces las respuestas no estaban explicadas con claridad o bien no eran válidas desde el punto de vista de la teoría económica. A fin de incluir esas preguntas, no tuve más remedio que modificar las explicaciones.

En cambio, muchos ensayos que planteaban preguntas interesantes ofrecían explicaciones que, además de ser muy claras, estaban escritas con inusitada inspiración. Estos ensayos fueron los que más me hicieron dudar antes de llegar a la conclusión de que la lectura del libro sería más fácil si en él hablaba una sola voz. Por eso, volví a escribir con mis propias palabras todas las respuestas a las preguntas que plantearon mis alumnos. Siento decir que, al menos en algunos casos, mis reconstrucciones no son muy fieles al original. Pido disculpas de todo corazón a esos autores.

Para que el lector se haga una idea de lo maravillosos que son algunos de los ensayos originales, he incluido aquí dos de ellos casi sin modificaciones.

*¿Por qué los defensores de los derechos de los animales se ceban
en las mujeres que llevan pieles y dejan en paz a los motoristas?*
(Kevin Heisey)

Aunque existen varias explicaciones posibles, voy a centrarme
aquí en tres de ellas. La primera, quizá la más obvia, considera
las ventajas físicas y evolutivas de acosar a mujeres mayores y
no a motoristas fornidos. La segunda tiene en cuenta la cantidad de animales que es necesario matar para hacer un abrigo
de piel frente a los que requiere una cazadora de cuero. Por último, la tercera analiza la conducta del activista desde el punto de vista de los costes y beneficios, donde el beneficio consiste en ganar partidarios para su causa al precio de perder el
apoyo de algunas personas.

Desde un punto de vista evolutivo, centrarse en las personas que llevan pieles ofrece ventajas evidentes. Un defensor de
los derechos de los animales que salpica de pintura roja el abrigo de piel de una señora apenas pone en peligro su integridad
física. Quizás ésta le dé un golpe con el bolso, pero un activista joven y ágil no debería de tener problemas para sortear este
peligro. En cambio, imaginemos lo que ocurriría si éste man-
cha de pintura roja la cazadora de cuero de un motorista. Con
suerte, todo quedará en una persecución, pero si su víctima lo
coge, lo más probable es que le dé una somanta de palos y pa-
tadas, por no decir lo que sucedería si éste o sus amigos estuviesen armados. No es difícil comprender por qué los activistas que se oponen a las pieles tienen una ventaja evolutiva
sobre los que censuran el cuero. ¿Podemos concluir entonces
que los defensores de los derechos de los animales poseen o
bien han desarrollado los rasgos de los bravucones cobardes?
Esta conclusión no es insensata, pero sí demasiado simplista.

Tal vez los defensores de los animales consideren que, en
un mundo finito con tiempo y recursos limitados, la mejor estrategia es centrarse en las prácticas que afectan a un mayor
número de animales. Según esto, se necesitan varios visones,

armiños o zorros para fabricar un abrigo de piel, mientras que una cazadora de cuero probablemente sólo necesite una vaca. En el primer caso, el activista está protestando contra la muerte de varios animales. En cambio, quienes llevan cuero sólo pasean a un animal muerto. Por tanto, los activistas tal vez piensen que centrarse en los abrigos de piel permite hacer un uso más eficiente de los recursos escasos. No obstante, esta explicación tiene un problema. Individualmente, una persona que lleva un abrigo de piel es responsable de la muerte de más animales, pero la sociedad en su conjunto mata y consume muchas más vacas que armiños o zorros. La lógica del uso eficiente de recursos limitados, aplicada a la protesta por la muerte de animales, hace más probable que los activistas dirijan sus esfuerzos contra los que visten de cuero, ya que son más numerosos.

Por último, voy a formular algunas hipótesis relativas a los motivos de los activistas. Supongamos que su objetivo es ganar simpatizantes. Asimismo, supongamos que el coste de captar adeptos es el número de personas a las que el activismo afecta negativamente. Su objetivo, por tanto, consiste en convencer al mayor número posible de personas con un mínimo coste. Consideremos primero la campaña contra quienes llevan abrigos de piel. Normalmente, los llevan mujeres mayores en una situación acomodada; además, estos abrigos suelen verse como un consumo ostentoso y se fabrican con animales bonitos que inspiran compasión. La campaña contra los abrigos de piel no disgusta a muchas personas. En general, los afectados por las protestas no inspiran demasiada compasión, justo al contrario que los animales sacrificados.

Comparemos estos afectados con los motoristas vestidos de cuero. Por supuesto, es posible que recibiesen un apoyo perverso del tipo «leones contra cristianos». Ya estoy viendo en los videoclubes «Lucha de ensalada de coliflor* en Stur-

---

* En inglés, *coleslaw wrestling*, una actividad que se realiza en las reuniones de motoristas como la de Sturgis (Dakota del Sur). (*N. del t.*)

gis, vol. IV» junto a «Los ángeles del infierno arrasan a los PETA,* vol. II». Aparte de eso, ¿qué hacen los motoristas el Día de la Independencia? Desfilan en moto junto a sus amigos hasta el lugar de la reunión y, allí, asan filetes y hamburguesas, beben cerveza y lanzan fuegos artificiales al caer la noche. Excepto el desfile de motos, hacen prácticamente lo mismo que el resto de la gente en el Día de la Independencia. Por eso, es muy posible que, protestando contra los motoristas porque visten de cuero, capten pocos adeptos y produzcan rechazo en muchas personas. Poca gente tiene un abrigo de piel en el armario, pero casi todo el mundo tiene zapatos o cinturones de cuero, cuando no una cazadora. Asimismo, la mayoría de la gente come carne de vaca. Por tanto, es admisible que los motivos de los defensores de los derechos de los animales para centrarse en las personas que llevan pieles tengan poco que ver con la cobardía o la supervivencia. Posiblemente ésta sea la forma más eficiente de atraer adeptos a su causa.

*Talento agazapado, costes ocultos:*** *¿Acabarán los efectos especiales expulsando del mercado al coreógrafo de más talento del mundo?* (Jacob Lehman)

Antes de 1999, Yuen Wo-Ping era un coreógrafo especializado en peleas que, en Estados Unidos, no conocían ni siquiera los más entendidos. Desde que coreografió las peleas en el aire de *Matrix* y *Tigre y dragón*, la demanda de sus servicios es casi ilimitada. Mientras tanto, William Hobbs, posiblemente

* People for the Ethical Treatment of Animals (Personas por la Ética en el Trato a los Animales), una asociación mundial fundada en Estados Unidos. (*N. del t.*)
** Alusión a la película taiwanesa *Tigre y dragón* del director Ang Lee, cuyo título en inglés es *Crouching Tiger, Hidden Dragon*, literalmente «Tigre agazapado, dragón oculto». (*N. del t.*)

el mejor coreógrafo del mundo, continúa despertando un interés moderado entre el público. En películas como *Rob Roy, la pasión de un rebelde*, *Las amistades peligrosas*, *La venganza del conde de Montecristo* y *Los tres mosqueteros* (1973), Hobbs ha coreografiado peleas muy valoradas por coreógrafos y aficionados a causa de su rigor histórico, pues no admite ningún movimiento que no esté recogido en los manuales de combate de las épocas correspondientes. En cambio, Wo-Ping emplea principalmente el trepidante «cable-fu»,* que apenas refleja las técnicas de lucha reales.

Las vistosas peleas de Wo-Ping, que se asemejan a los videojuegos tanto como a los combates, son controvertidas. Su valor narrativo es escaso comparado con los conflictos de gran realismo e intensidad emocional que coreografía Hobbs, pero deslumbran en los tráilers y anuncios. De este modo, Wo-Ping ha obtenido un reconocimiento extraordinario en Estados Unidos, gracias al cual posee una ventaja en el mercado de la coreografía de combate, un mercado en el que el ganador se lo lleva todo. Los costes de sus peleas fantásticas son considerables. Primero, reducen la capacidad del público de apreciar la maestría plasmada en el trabajo de Hobbs. Segundo, hacen que los demás aceleren las peleas, utilicen más cables e intenten ir cada vez más lejos en esta línea sólo para conseguir público. Incluso Jackie Chan, un consagrado maestro del realismo en las escenas de combate, ha recurrido a los cables en sus últimas películas en lugar de ejecutar sus características acrobacias, casi imposibles pero muy reales. Ver hasta dónde pueden llegar los hombres en velocidad, narración y acrobacias es instructivo e inspirador. La tendencia a emplear efectos digitales y arneses mina nuestra capacidad natural de admirar el talento de quienes verdaderamente lo poseen y sólo sirve para aumentar la distancia entre la realidad y lo que vemos en la pantalla. Sin embargo, en un mercado donde el ganador se

---

* En inglés *wire-fu*, es decir, kung-fu con cables. (*N. del t.*)

lo lleva todo, el premio que puede recibir un individuo es tan grande que los costes de alejarse cada vez más de la realidad le parecen pequeños comparados con los beneficios. En cambio, a la sociedad no le reportan ningún beneficio adicional las películas en que los personajes dan treinta pasos en la pared frente a aquellas en que sólo dan tres. A Wo-Ping (o a cualquiera que entre en el mercado) no le interesa tener en cuenta este coste, ni tampoco la pérdida de popularidad de William Hobbs y Jackie Chan que provoca su entrada. El resultado será un «exceso de competidores» en un mercado en que el ganador se lo lleva todo, un beneficio nulo para la sociedad e, incluso, un coste neto a medida que los efectos sustituyan progresivamente al entrenamiento y al talento.

PENSAMIENTOS DE DESPEDIDA

Sólo por haber leído hasta aquí, usted ya está en camino de convertirse en un economista naturalista. Es posible que haya descrito algunos de los ejemplos del libro a sus familiares y amigos. En tal caso, esas conversaciones le habrán proporcionado una comprensión más profunda de los principios que ilustran.

En el reino de los ciegos, el tuerto es el rey. Como señalé en la Introducción, incluso aquellos que han recibido un curso de economía en la universidad suelen poseer un limitado conocimiento operativo de los principios económicos básicos. Por tanto, en términos relativos usted es ya un experto en economía.

Tal vez haya empezado a reconocer detalles y esquemas nuevos en las cosas que ve a diario. Es muy probable que, durante sus compras, se haya topado con ejemplos de barreras para conceder descuentos. Si le gustan los retos, intente encontrar productos que nunca se hayan vendido a precios rebajados a clientes dispuestos a superar algún tipo de obstáculo. Existen productos así, pero son raros. Esta búsqueda le permitirá descubrir una gran variedad de barreras interesantes que nunca había advertido.

Si le pregunta un amigo por qué siempre en enero las tiendas venden a precios rebajados tantas sábanas y toallas, es muy probable que pueda improvisar una explicación económica admisible. Le explicará que, mediante los descuentos, las tiendas consiguen vender unidades adicionales a personas que no las comprarían sin tales rebajas. Obviamente, los vendedores intentan evitar que se beneficien de los descuentos los compradores que están dispuestos a pagar el precio de catálogo. Describirá a su amigo cómo resuelven este problema las dos barreras que ponen las rebajas de ropa blanca. Primero, el cliente que busca un descuento tiene que informarse de la fecha de las rebajas. Segundo, ha de ser lo bastante paciente como para posponer las compras hasta esa fecha. Le dirá que las barreras funcionan porque, normalmente, las personas que están dispuestas a superarlas no habrían comprado nada de ropa blanca, o no tanta, de no ser por los grandes descuentos.

Quizá su amigo le pregunte por qué no vencen estos obstáculos otras personas también. Usted responderá que a las personas cuyo tiempo tiene un coste de oportunidad elevado les resulta demasiado molesto saltar estas barreras. Si Bill y Melinda Gates quieren más toallas en junio, no esperan a enero para comprarlas. Normalmente, este tipo de personas acaban pagando el precio de catálogo.

Si alguien le pregunta por qué los fabricantes hacen descuentos a los consumidores que envían por correo vales para obtener descuentos, le dará una explicación similar. Las personas cuyo tiempo tiene un coste de oportunidad bajo suelen ser las mismas que no comprarían, o no podrían comprar, el producto sin un descuento. Se trata de personas que, más que el resto de consumidores, están dispuestas a dedicar tiempo a enviar por correo los vales y esperar pacientemente hasta seis meses a que lleguen los cheques de descuento. Mi madre, la compradora sensible al precio por excelencia, siempre hace esto. Si usted nunca se ha tomado la molestia de enviar por correo un vale de descuento, casi seguro que no pertenece a esta categoría. Los vendedores no quieren hacerle un descuento porque saben que va a comprar sus productos de todos modos.

Después de haber visto muchos ejemplos de diferentes tipos de conflictos entre los intereses individuales y colectivos, no le será difícil detectar otros tantos. Por ejemplo, si tiene hijos cursando bachillerato, ahora tiene más probabilidades de darse cuenta de que, si bien hoy en día parece imprescindible realizar cursos preparatorios para las pruebas de admisión (SAT) a fin de acceder a las mejores universidades, la enorme cantidad de tiempo y dinero que gastan los estudiantes en estos cursos no les sirve para nada desde el punto de vista colectivo. La pugna por la admisión en una universidad de élite es esencialmente una competición y, por mucho que se esfuercen los competidores, el número de premios seguirá siendo limitado.

Es sorprendente la cantidad de competiciones de este tipo que existen y lo difícil que resulta encontrar una en que los competidores no se comporten de una forma funcionalmente equivalente a una inútil carrera armamentista. Por ejemplo, en el fútbol americano universitario, las universidades intentan aumentar sus probabilidades de éxito gastando más en entrenadores, fichajes, instalaciones deportivas, etcétera. Sin embargo, por mucho que gasten, cada sábado sólo puede ganar el 50 por 100 de los equipos que participan en la competición.

La inutilidad de las inversiones en mejoras de rendimiento que se anulan mutuamente no ha pasado inadvertida. En casi todos los casos, los organismos reguladores han tomado diversas medidas para limitar estos gastos. Por ejemplo, los motores de Fórmula Uno no pueden superar 2,4 litros de capacidad, gracias a lo cual los competidores no tienen que invertir en motores más grandes. Asimismo, todas las ligas de deportes profesionales establecen límites estrictos a las plantillas de los equipos, limitando así el coste de formar equipos competitivos.

Por supuesto, los acuerdos para controlar las carreras armamentistas no se adoptan únicamente en los deportes de competición institucionalizados. En muchas facetas importantes de la vida, los premios dependen en gran medida del rendimiento relativo. En los capítulos anteriores hemos visto muchos tipos de medidas destinadas a moderar estos procesos, por ejemplo la regulación de la edad a la que los niños comienzan el colegio, la obligatoriedad de los uniformes escolares, la normativa de seguridad laboral e, incluso, las leyes que prohíben la poligamia. Si le gustan los retos, le propongo uno más:

intente encontrar un ejemplo de una actividad organizada que premie el rendimiento relativo de los competidores, pero que no haya intentado evitar las inversiones en mejoras de rendimiento que se anulan mutuamente. Si hay alguna, yo no la conozco. Las normas son información. Observe las normas que establecen los diferentes grupos humanos e intente averiguar cuál puede ser su finalidad.

Si está pensando en cambiar de trabajo o tiene hijos que están decidiendo su futuro profesional, creo que pueden ser especialmente relevantes los ejemplos que ilustran la teoría de las diferencias salariales que compensan, pues he comprobado que dicha teoría ha ayudado a muchos de mis estudiantes a reflexionar de forma más eficaz acerca de su orientación profesional. A menudo, su objetivo inicial es, única y exclusivamente, percibir el mayor salario posible. No obstante, ya hemos visto que la mejor oferta salarial al alcance de una persona lleva aparejadas renuncias en otros aspectos que influyen en la satisfacción laboral. Los trabajos que implican transacciones morales, horarios exigentes, pocas posibilidades de promoción y escasa seguridad laboral suelen considerarse menos deseables y, por tanto, han de estar mejor remunerados para compensar estas desventajas.

Algunas personas están dispuestas a aceptar estos inconvenientes a cambio de un salario mayor, pero otras no son conscientes de que éstos existen. Aunque lleve poco tiempo siendo un economista naturalista, usted ya está en condiciones de darse cuenta de que hay que mirar con lupa la oferta más generosa. Si le parece que es demasiado buena como para ser real, probablemente no se equivoca.

Asimismo, está en condiciones de saber cuándo puede fiarse de la información y cuándo debe dudar de ella. Si en una transacción coinciden completamente los intereses de las dos partes, éstas no tienen motivos para engañarse mutuamente. Cuando una jugadora de bridge utiliza las señales convencionales para informar a su compañera de que tiene una buena baza, basta con que dicha información sea inteligible. No hay razón para que su compañera dude de su sinceridad. Sin embargo, cuando un vendedor alaba su producto, al comprador le sobran motivos para desconfiar. El economista naturalista sabe que este tipo de afirmaciones sólo merecen crédito cuando es caro aparentar. Por ejemplo, cuando un fabricante ofrece una garantía completa por un producto, está dando una señal bastante fiable de la buena calidad del producto, pues, si la calidad fuese baja, no podría ofrecer esta garantía sin perder dinero.

El principio de que no se sirve dinero en bandeja incita al economista naturalista a no creerse al pie de la letra los pronósticos de los asesores financieros. Cuando un asesor afirma que una acción está infravalorada, está diciendo que se está sirviendo dinero en bandeja. Pero es raro que el dinero permanezca mucho tiempo en una bandeja sin que nadie lo coja. Si otras personas supiesen que la acción se cotiza a un precio inferior a su verdadero valor, ¿por qué—se pregunta el economista naturalista—no han comprado la acción inmediatamente y, por tanto, su precio no ha subido? ¿Está diciendo el asesor que posee información privilegiada? Los economistas naturalistas son cautos y saben que quienes prometen fortunas rápidas comprando acciones infravaloradas son unos charlatanes.

Las aptitudes que posee como economista naturalista no sólo lo ayudarán a tomar decisiones mejores en todo lo relacionado con los mercados. Si continúa desarrollándolas, tendrá muchas más compensaciones. Casi todos los elementos de nuestro entorno y casi todos los rasgos del comportamiento humano y animal son, de forma explícita o implícita, producto de la interacción entre costes y beneficios. Nuestra experiencia cotidiana contiene un tesoro de texturas y regularidades que se muestran ante los ojos adiestrados del economista naturalista. Descubrirlas es una aventura intelectual en que puede recrearse el resto de sus días.

NOTAS

1. W. L. Hansen, M. K. Salemi y J. J. Siegfried, «Use It or Lose It: Teaching Economic Literacy», *American Economic Review (Papers and Proceedings)*, mayo de 2002, pp. 463-472.

2. W. L. Hansen, M. K. Salemi y J. J. Siegfried, «Use It or Lose It: Teaching Economic Literacy», *American Economic Review (Papers and Proceedings)*, mayo de 2002, pp. 463-472.

3. Paul J. Ferraro y Laura O. Taylor, «Do Economists Recognize an Opportunity Cost When They See One? A Dismal Performance from the Dismal Science», *B. E. Journals in Economic Analysis and Policy* 4, nº 1, 2005.

4. El lector puede encontrar una excelente introducción al marco teórico darwiniano en Richard Dawkins, *The Selfish Gene*, 3ª ed., Nueva York, Oxford University Press, 2006. [Hay trad. cast.: *El gen egoísta*, Barcelona, Salvat, 2004.]

5. Véase www.pbs.org/wgbh/nova/bowerbirds/courtship.html.

6. Walter Doyle y Kathy Carter, «Narrative and Learning to Teach: Implications for Teacher Education Curriculum», http://faculty.ed.uiuc.edu/westbury/JCS/Vol35/DOYLE.HTM.

7. Jerome Bruner, «Narrative and Paradigmatic Modes of Thought», en E. W. Eisner, ed., *Learning and Teaching the Ways of Knowing*, 84th Yearbook, p. 2 de la National Society for the Study of Education, Chicago, University of Chicago Press, 1985, pp. 97-115.

8. Los ejemplos que incluyo a continuación están basados en los trabajos de los psicólogos Daniel Kahneman y, en su última época, Amos Tversky. En las notas del capítulo 10 aparecen numerosas citas de su obra.

9. Robert H. Frank y Ben S. Bernanke, *Principles of Economics*,

Nueva York, McGraw-Hill, 2000. [Hay trad. cast.: *Principios de economía*, Madrid, McGraw-Hill, 2007.]

10. La Sección 4.34.3 de las *ADA Accessibility Guidelines for Buildings and Facilities* (Apéndice de la parte 1191, 36 CFR capítulo 11, aprobada de conformidad con la Ley sobre Estadounidenses con Discapacidades de 1990) dice así: «Las instrucciones y toda la información necesaria para el uso [de cajeros automáticos] deberán ser accesibles y fácilmente utilizables por las personas con problemas de vista».

CAPÍTULO 1

PAQUETES DE LECHE RECTANGULARES Y LATAS DE REFRESCO
CILÍNDRICAS: LA ECONOMÍA DEL DISEÑO DE PRODUCTOS

1. Véase problema 4, «The Math Page», www.themathpage. com/aCalc/applied.htm.
2. S. S. Solomon y J. G. King, «Influence of Color on Fire Vehicle Accidents», *Journal of Safety Research* 26, 1995, pp. 41-48; y S. S. Solomon, «Lime-Yellow Color As Related to Reduction of Serious Fire Apparatus Accidents: The Case for Visibility in Emergency Vehicle Accident Avoidance», *Journal of American Optometric Association*, n° 61, 1990, pp. 827-831.

CAPÍTULO 2

CACAHUETES GRATIS Y PILAS CARAS: OFERTA Y DEMANDA EN ACCIÓN

1. M. A. Tarazon-Herrera *et al.*, «Effects of Bovine Somatotropin on Milk Yield and Composition in Advanced Lactation Fed Low-or High-Energy Diets», *Journal of Dairy Science*, n° 83, 2000, pp. 430-434.
2. Para una descripción más detallada del modelo de la oferta y la demanda, véase el capítulo 3 de Robert H. Frank y Ben S. Bernanke, *Principles of Economics*, 3ª ed., Nueva York, McGraw-Hill, 2006. [Hay trad. cast.: *Principios de economía*, Madrid, McGraw-Hill, 2007.]
3. Deborah Kades, «The Thing About a Lot of New Houses Is They're Big: Even Retired Couples Want a Lot of Room to Rattle Around In and for Visiting Grandchildren», *Capital Times & Wis-*

consin State Journal, 24 de junio de 2001, A5; Kelly Greene, «Florida Frets It Doesn't Have Enough Elderly», *Wall Street Journal*, 18 de octubre de 2002, B1.

4. *The Long Tail*, Nueva York, Hyperion, 2006.

5. Egg Nutrition Center, «Egg Production», www.enc-online. org/trivia.htm.

6. Véase «Basic Egg Facts», http://gk12calbio.berkeley.edu/lessons/eggfacts.pdf.

7. Para un tratamiento en profundidad de esta cuestión, véase R. H. Frank y P. J. Cook, *The Winner-Take-All-Society*, Nueva York, Free Press, 1995, cap. 8.

CAPÍTULO 3
POR QUÉ LOS TRABAJADORES DE IGUAL CAPACIDAD TIENEN A MENUDO
SUELDOS DIFERENTES Y OTROS MISTERIOS DEL MUNDO DEL TRABAJO

1. Forbes.com, «The Celebrity 100», www.forbes.com/2006/06/12/06celebrities_money-power-celebrities-list_land.html.

2. Para un tratamiento pormenorizado de esta interpretación, véase R. H. Frank y P. J. Cook, *The Winner-Take-All-Society*, Nueva York, Free Press, 1995.

3. Véase, por ejemplo, Xavier Gabaix y Augustin Landier, «Why Has CEO Pay Increased So Much?», MIT Department of Economics Working Paper n° 6-13, 8 de mayo de 2006. Disponible en SSRN: http://ssrn.com/abstract=901826.

4. Véase Dirección General de Salud Pública de Estados Unidos, *The Health Consequences of Smoking: Nicotine Addiction*, Washington D. C., United States Government Printing Office, 1988.

5. Forbes.com, «CEO Compensation», www.forbes.com/lists/2006/12/Company_1.html.

6. Para un tratamiento en profundidad de este punto, véase R. H. Frank, *Choosing the Right Pond: Human Behavior and the Quest for Status*, Nueva York, Oxford University Press, 1985, caps. 3-4.

7. Para un desarrollo riguroso de esta explicación, véase Edward Lazear, «Agency, Earnings Profiles, Productivity, and Hours Restrictions», *American Economic Review*, n° 71, 1981, pp. 606-620.

8. Para un tratamiento en profundidad de esta posibilidad, véase George Akerlof, «Labor Markets as Partial Gift Exchange», *Quarterly Journal of Economics*, noviembre de 1982, pp. 543-569.

9. Barry Willis, «Napster Reinstates Some Users, Attacks Offspring, Angers Madonna», *Stereophile*, junio de 2000.

10. Colin Camerer, Linda Babcock, George Loewenstein y Richard Thaler, «Labor Supply of New York City Cab Drivers: One Day at a Time», *Quarterly Journal of Economics*, n° 112, 1997, pp. 407-442.

11. El lector puede encontrar un resumen clarificador de la forma en que las centrales eléctricas utilizan diversos tipos de máquinas para suministrar cargas de duración diferente en Comisión de Servicios Públicos de Wisconsin, «Electric Power Plants», http://psc.wi.gov/thelibrary/publications/electric/electrico4.pdf.

12. Para un tratamiento más extenso, véase R. H. Frank, *Choosing the Right Pond*, Nueva York, Oxford University Press, 1985.

13. Para un tratamiento en profundidad de cómo los incentivos afectan a la práctica médica, véase Martin Gaynor, James Rebitzer y Lowell Taylor, «Physician Incentives in HMOs», *Journal of Political Economy*, agosto de 2004, pp. 915-931.

CAPÍTULO 4
POR QUÉ ALGUNOS COMPRADORES PAGAN MÁS QUE OTROS:
LA ECONOMÍA DEL DESCUENTO

1. Para un tratamiento en profundidad del método de la barrera para diferenciar precios, véase Robert H. Frank y Ben S. Bernanke, *Principles of Economics*, 3ª ed., Nueva York, McGraw-Hill, 2006, cap. 10. [Hay trad. cast.: *Principios de economía*, Madrid, McGraw-Hill, 2007.]

2. El lector puede encontrar un análisis de cómo la diferenciación de precios mediante barreras suele aumentar la eficiencia en R. H. Frank, «When Are Price Differencials Discriminatory?», *Journal of Policy Analysis and Management*, invierno de 1983, pp. 238-255.

3. Para un estudio detallado del Short de Starbucks, véase Tim Harford, «Solving the Mistery of the Elusive «Short» Cappuccino», *Slate*, 6 de enero de 2006, www.slate.com/id/2133754.

CAPÍTULO 5
CARRERAS ARMAMENTISTAS Y LA TRAGEDIA DE LOS BIENES COMUNALES

1. Garrett Hardin, «The Tragedy of the Commons», *Science*, n° 162, 1968, pp. 1.243-1.248.
2. Para un tratamiento en profundidad del problema de la resistencia a los antibióticos, véase la Web del Centro para el Control y la Prevención de las Enfermedades, www.cdc.gov/drugresistance/community.
3. Jane Austen, *Sense and Sensibility*, Filadelfia, Courage, 1996, p. 44. [Hay trad. cast.: *Sentido y sensibilidad*, Barcelona, Andrés Bello, 2000.]
4. Caroline Cox, *Stiletto*, Nueva York, Collins Design, 2004.
5. Este y otros ejemplos similares están desarrollados con mucho ingenio en Thomas Schelling, *Micromotives and Macrobehavior*, Nueva York, Norton, 1978. [Hay trad. cast.: *Micromotivos y macroconducta*, México, FCE, 1989.] Este libro está lleno de ideas estimulantes y, además, es un placer leerlo.
6. Thomas Schelling, *Micromotives and Macrobehavior*, Nueva York, Norton, 1978. [Trad. cit.]

CAPÍTULO 6
EL MITO DE LA PROPIEDAD

1. Para un tratamiento en profundidad de este punto, véase Stephen Holmes y Cass Sunstein, *The Cost of Rights: Why Liberty Depends on Taxes*, Nueva York, Norton, 1999.
2. Véase *Ploof v. Putnam, 81 Vt. 471, 71 A. 188* (1908).
3. Para un tratamiento más detallado de esta cuestión, véase Martin Bailey, «Approximate Optimality of Aboriginal Property Rights», *Journal of Law and Economics*, abril de 1992, pp. 183-198.
4. Para un tratamiento detallado de la cuestión de los derechos de okupación, véase Cora Jordan, «Trespass, Adverse Possession, and Easements», Lectric Law Library, www.lectlaw.com/files/lato6.htm.
5. El lector puede encontrar una descripción detallada de este interesante pez en Prosanta Chakrabarty, «Huso Huso (Beluga Sturgeon)», Web de Diversidad Animal, Museo de Zoología de la

Universidad de Michigan, http://animaldiversity.ummz.umich.edu/site/accounts/information/Huso_huso.html.

6. En el año 2004, Blockbuster Video creó Bookbuster, una empresa de alquiler de libros. En términos relativos, este servicio, que costaba 5,99 dólares por semana en el caso de libros de publicación reciente, atrajo a pocos clientes.

7. El lector puede encontrar un análisis más detallado de la lógica de la normativa de seguridad en R. H. Frank, *Choosing the Right Pond*, Nueva York, Oxford University Press, 1985.

8. El lector puede encontrar un modelo formal que incorpora esta interpretación en George Akerlof, «The Economics of Caste and of the Rat Race and Other Woeful Tales», *Quarterly Journal of Economics*, noviembre de 1976, pp. 599-617.

9. Associated Press, «Spanish Fashion Show Rejects Too-Skinny Models», www.msnbc.msn.com/id/14748549.

10. Associated Press, «As Models Strut in London, New Call to Ban the Skeletal», *New York Times*, 17 de septiembre de 2006.

11. Para un análisis detallado de la decisión de hacer obligatorio el uso del cinturón de seguridad en los autobuses escolares, véase Dirección General de Seguridad Vial, «School Bus Crashworthiness Research», http://www-nrd.nhtsa.dot.gov/departments/nrd–11/SchoolBus.html.

12. Nick Anderson y David Cho, «Bus Crash Renews Debate on Seat Belts», *Washington Post*, 19 de abril de 2005, B1.

13. Para una elocuente defensa de esta premisa, véase Richard Posner, *Economic Analysis of Law*, 2ª ed. Boston, Little, Brown, 1977. [Hay trad. cast.: *El análisis económico del derecho*, México, FCE, 1998.]

14. El lector puede consultar una de las primeras exposiciones de este punto de vista en George J. Stigler, «The Theory of Economic Regulation», *Bell Journal of Economics and Management Science*, primavera de 1971, pp. 1-21.

15. Véase S. G. Klauer *et al.*, *The Impact of Driver Inattention on Near-Crash/Crash Risk*, Springfield, VA: National Technical Information Service, 2006. También puede encontrarse en www.nrd.nhtsa.dot.gov/departments/nrd-13/810594/images/810594.pdf.

16. Congreso Nacional de las Legislaciones Estatales, «Radar Detectors, Lasers and Scanners: A Legislative Overview», www.ncsl.org/programs/transportation/radar.htm.

17. Véase el fascinante estudio sobre las pruebas del exceso de confianza realizado por Thomas Gilovich, *How We Know What Isn't So*, Nueva York, Free Press, 1990.

CAPÍTULO 7
DESCIFRAR LAS SEÑALES DEL MERCADO

1. Roni Michaely y Kent Womack, «Conflict of Interest and the Credibility of Underwriter Analyst Recommendations», *Review of Financial Studies*, vol. 12, n° 4, 1999, pp. 653-686.

2. Véase www.turtletrader.com/analysts-bias.html.

3. John R. Krebs y Richard Dawkins, «Animal Signals: Mind Reading and Manipulation», en J. R. Krebs y N. B. Davies, eds., *Behavioral Ecology, An Evolutionary Approach*, Oxford, Blackwell Scientific, 1984, pp. 282-309.

4. R. H. Frank, «How Long Is a Spell of Unemployment?», *Econometrica*, marzo de 1978, p. 295. Tal y como están las cosas hoy, este extracto es un ejemplo moderado del formalismo de los modelos económicos. No obstante, para no poner en evidencia a ningún colega, decidí utilizar un extracto de uno de mis trabajos.

5. Maria Lugones, «The Tactical Strategies of the Streetwalker», en *Pilgrimages/Peregrinajes: Theorizing Coalition Against Multiple Oppressions*, Lanham, Maryland, Rowman & Littlefield, 2003, pp. 207-237.

6. Para un tratamiento en profundidad, véase George Akerlof, «The Market for 'Lemons': Quality Uncertainty and the Market Mechanism», *Quarterly Journal of Economics*, vol. 84, n° 3, 1970, pp. 488-500.

7. Para un tratamiento más formal de este fenómeno, véase T. D. Cook y D. T. Campbell, *Quasi-Experimentation: Design and Analysis Issues for Field Settings*, Chicago, Rand McNally, 1979, pp. 52 y ss.

8. Daniel Kahneman y Amos Tversky, «On the Psychology of Prediction», *Psych Review*, n° 80, 1973, pp. 237-251.

9. Robert Cialdini ha descubierto que incluso los elogios que se sabe que no son sinceros afectan positivamente al rendimiento. Robert Cialdini, *Influence: Science and Practice*, 3ª ed., Nueva York, Harper Collins, 1993. Véase también Thomas C. Gee, «Student's Res-

ponses to Teacher Comments», *Research in the Teaching of English*, otoño de 1972, pp. 212-221; Winnifred Taylor y K. C. Hoedt, «The Effect of Praise on the Quantity and Quality of Creative Writing», *Journal of Educational Research*, octubre de 1966, pp. 80-83.

CAPÍTULO 8
EL ECONOMISTA NATURALISTA SALE DE VIAJE

1. Jerome Kagan, *The Nature of the Child*, Nueva York, Basic, 1984. [Hay trad. cast.: *El niño hoy: desarrollo humano y familia*, Madrid, Espasa Calpe, 1987.]
2. Instituto de Reciclaje de Recipientes, «The Aluminum Can's Dirty Little Secret», http://container-recycling.org/mediafold/news release/aluminum/2006-5-AlumDirty.htm.
3. Asociación del Aluminio, «Brazil World Record Holder in Aluminum Can Recycling Rate», www.aluminum.org/Template.cfm? Section=Home&template=/ContentManagement/ContentDisplay.cfm&ContentID=6669.
4. Pat Franklin, «$600 Million Worth of Used Aluminum Beverage Cans Landfilled in 1996», http://container-recycling.org/mediafold/newsrelease/aluminum/1997-4alum.htm.
5. «OECD Standardized Unemployment Rates», www.oecd.org/dataoecd/46/33/37668128.pdf.
6. Thomas Pugel, «How Sweet It Is (or Isn't)», en *International Economics*, 13ª ed., Nueva York, McGraw-Hill, 2006, p. 202.
7. Thomas Pugel, «How Sweet It Is (or Isn't)», en *International Economics*, 13ª ed., Nueva York, McGraw-Hill, 2006, p. 202.
8. El lector puede encontrar un resumen de los impuestos con que el gobierno de Singapur grava los coches privados en ExPat Singapore, «Owning a vehicle», www.expatsingapore.com/once/cost.shtml.
9. Miki Tanikawa, «Japanese Weddings: Long and Lavish (Boss Is Invited)», *New York Times*, 26 de febrero de 1995, http://query.nytimes.com/gst/fullpage.html?res=990CE7D6143FF935A15751-C0A963958260.

CAPÍTULO 9

ENCUENTRO ENTRE LA PSICOLOGÍA Y LA ECONOMÍA

1. Daniel Kahneman, Paul Slovic y Amos Tversky, *Judgment Under Uncertainty: Heuristics and Biases*, Nueva York, Cambridge University Press, 1982; Thomas Gilovich, Dale Griffin y Daniel Kahneman, eds., *Heuristics and Biases: The Psychology of Intuitive Judgment*, Nueva York, Cambridge University Press, 2002; y Richard Thaler, *The Winner's Curse*, Princeton, Nueva Jersey, Princeton University Press, 1994.

2. Amos Tversky y Daniel Kahneman, «Judgment Under Uncertainty: Heuristics and Biases», *Science*, nº 185, 1974, pp. 1.124-1.130.

3. Katharyn Jeffreys, «MIT Suicides Reflect National Trends», *The Tech*, 18 de febrero de 2000, http://www-tech.mit.edu/V120/N6/comp6.6n.html.

4. Amos Tversky y Daniel Kahneman, «Judgment Under Uncertainty: Heuristics and Biases», *Science*, nº 185, 1974, pp. 1.124-1.130.

5. Itamar Simonson y Amos Tversky, «Choice in Context: Tradeoff Contrast and Extremeness Aversion», *Journal of Marketing Research*, agosto de 1992, pp. 281-295.

6. Richard Thaler, «Mental Accounting and Consumer Choice», *Marketing Science*, verano de 1985, pp. 199-214.

7. Para un análisis de este fenómeno en el sector de la educación superior, véase Geoffrey White y Flannery Hauck, eds., *Campus, Inc.: Corporate Power in the Ivory Tower*, Nueva York, Prometheus, 2000.

8. Para un estudio de los datos correspondientes, véase Richard Thaler, «Interindustry Wage Differentials», *Journal of Economic Perspectives*, primavera de 1989, pp. 181-193.

9. CNN.com, «Some Employers Shift into High Gear to Keep Good Workers», www.cnn.com/US/9907/01/wage.pressures.

10. Richard Thaler, «Mental Accounting and Consumer Choice», *Marketing Science*, verano de 1985, pp. 199-214.

11. George A. Akerlof y Rachel E. Kranton, «Economics and Identity», *Quarterly Journal of Economics*, agosto de 2000, pp. 715-753.

12. Si nadie siguiese la norma de que el primero que llega, pasa, todos los coches que se dirigen hacia el norte cruzarían el puente pri-

mero. El primero en cruzar tardaría treinta segundos, pero cada uno de los siguientes terminaría de cruzar justo diez segundos después del anterior. Por tanto, cuando todos los coches con dirección norte hubiesen terminado de cruzar el puente, el primer coche con dirección sur habría esperado dos minutos (treinta segundos hasta que cruzase el primer coche con dirección norte, más diez segundos por cada uno de los nueve coches restantes). El tiempo de espera del segundo coche con dirección sur sería diez segundos menos (pues llegó diez segundos después del primer coche con dirección sur), y la espera de cada uno de los siguientes coches con dirección sur sería de diez segundos menos que el coche de delante. En total, la espera de los diez coches con dirección sur sería de doce minutos y treinta segundos.

13. Cruzaría el primer coche con dirección norte, luego el primero con dirección sur, luego el segundo con dirección norte, luego el segundo con dirección sur, y así sucesivamente.

1. Tiempo de llegada (Minutos:Segundos)

	1	2	3	4	5	6	7	8	9	10
Coches con dirección norte	0:00	0:10	0:20	0:30	0:40	0:50	0:60	0:70	0:80	0:90
Coches con dirección sur	0:00	0:10	0:20	0:30	0:40	0:50	0:60	0:70	0:80	0:90

2. Tiempo de entrada en el puente

	1	2	3	4	5	6	7	8	9	10
Coches con dirección norte	0:00	1:00	2:00	3:00	4:00	5:00	6:00	7:00	8:00	9:00
Coches con dirección sur	0:30	1:30	2:30	3:30	4:30	5:30	6:30	7:30	8:30	9:30

3. Tiempo de espera (= Tiempo de entrada − Tiempo de llegada)

	1	2	3	4	5	6	7	8	9	10	Total
Coches con dirección norte	0:00	0:50	1:40	2:30	3:20	4:10	5:00	5:50	6:40	7:30	37:30
Coches con dirección sur	0:30	1:20	2:10	3:00	3:50	4:40	5:30	6:20	7:10	8:00	42:30

80:00

En este caso, el primer coche con dirección sur esperaría sólo treinta segundos (noventa menos que antes) para cruzar el puente. Por tanto, la norma favorece al primer coche con dirección sur. El segundo coche con dirección norte esperaría cincuenta segundos para entrar en el puente (los veinte segundos que tardaría aún en cruzar el primer coche con dirección norte, más los treinta segundos del primer coche con dirección sur). El segundo coche con dirección sur esperaría un minuto y veinte segundos antes de entrar en el puente (pues llegó diez segundos después de los primeros coches y tuvo que esperar los veinte segundos que le quedaban al primer coche con dirección norte y, luego, dos veces treinta segundos hasta que terminasen de cruzar, respectivamente, el primer coche con dirección sur y el segundo con dirección norte). La tabla anterior resume los tiempos de llegada, entrada y espera de los conductores de las dos caravanas en el caso de que siguiesen la norma de que, el primero que llega, pasa.

CAPÍTULO 10

EL MERCADO INFORMAL DE LAS RELACIONES PERSONALES

1. D. M. Buss y M. Barnes, «Preferences in Human Mate Selection», *Journal of Personality and Social Psychology*, n° 50, 1986, pp. 559-570.

2. Deborah Siegel, «The New Trophy Wife», *Psychology Today*, enero-febrero de 2004, www.psychologytoday.com/articles/index. php?term=pto-20040107-000008&page=1; «What Men Want from Marriage», *Ladies' Home Journal's Special Report*, junio de 2003, www.meredith.com/NewsReleases/Mgz/LHJ/lhj0603stateofunion.htm.

3. Datos tomados de la encuesta realizada por el Instituto Estadounidense de Censos: *Current Population Survey*, March Annual Social and Economic Supplements, marzo de 2004 y anteriores.

4. Véase Instituto Australiano de Estadística, *Yearbook Australia*, 2004, www.abs.gov.au/Ausstats/abs@.nsf/Lookup/62F9022555D5D E7ACA256DEA00053A15.

5. Véase Instituto Estadounidense de Censos. Para las mujeres: www.census.gov/population/ www/socdemo/fertility/slideshow/AC S-MF/TextOnly/slide11.html. Para los hombres: www.census.gov/ population/www/socdemo/fertility/slideshow/ACS-MF/TextOnly/slide12.html.

6. Paul H. Jacobson, «Differentials in Divorce by Duration of Marriage and Size of Family», *American Sociological Review*, abril de 1950, p. 239.

7. Véase «Uniformed Services Former Spouses' Protection Act Bulletin Fact Sheet», http://www.dod.mil/dfas/militarypay/garnishment/fsfact.html.

8. S. Kanazawa y J. Kovar, «Why Beautiful People Are More Intelligent», *Intelligence*, n° 32, 2004, pp. 227-243.

9. Véase, por ejemplo, S. Feinman y G. W. Gill, «Sex Differences in Physical Attractiveness Preferences», *Journal of Social Psychology*, n° 105, 1978, pp. 43-52.

10. Para un tratamiento en profundidad de esta cuestión, véase R. H. Frank, *Passions Within Reason: The Strategic Role of the Emotions*, Nueva York, Norton, 1988, cap. 10.

11. B. Murstein, M. Cerreto y M. MacDonald, «A Theory and Investigation of the Effect of Exchange Orientation on Marriage and Friendship», *Journal of Marriage and the Family*, n° 39, 1977, pp. 155-162.

ÍNDICE ANALÍTICO

de los directores generales, 84-85, 89-90. *Véanse también* Principio de coste-beneficio; Salarios/pagas

Inmuebles, 53. *Véanse también* Casas, tamaño/precio de las; Edificios, de pisos

Instituto Tecnológico de Massachusetts (MIT), 11

Inteligencia, 136, 257

Intercambio de música, programas, 98

Intereses individuales frente a intereses colectivos, 135, 207, 243

Intereses particulares, 175-176

Internet, 70, 98-99, 110, 129, 131

Intuit Corporation, 59, 85

Investigación y desarrollo (I+D), 118, 128

iPod, 118

Irán, 161

Ithaca, Nueva York, 47, 68, 73, 141, 143

   puentes de un sólo carril en, 243

Ito, Tsutomu, 219

Jain, Ashees, 161

Japón, 203-204, 220

Jefes de cocina, 88

Jepson, Erik, 74

Johnson, Ebony, 39

John F. Kennedy, aeropuerto (JFK), 181-182

John S. Knight Institute for Writing in the Disciplines, 15-16

Jonnalagadda, Kalyan, 204

Jowell, Tessa, 169

Junta Aeronáutica Civil (CAB), 150-152

Kagan, Jerome, 203

Kahn, Alfred, 150-152

Kahneman, Daniel, 221-222

Kamikazes, 236-237

Kanazawa, Satoshi, 257

Katt, Sarah, 237

Kehler, Charles, 70

Kim, Gloria, 206

Klum, Heidi, 81

Knoblauch, Chuck, 12

Koontz, Pattie, 226

Kovar, Jody, 257

Kurkova, Karolina, 225

Lack, Andrew, 48

Latas de aluminio, 41-42, 205-206

Lavandería, servicios de, 69

Lazear, Edward, 95

Leche, 16, 33, 40-41, 54, 123, 227

Lee, Plana, 157

Lehman, Jacob, 268

Leighton, Matthew, 15

Lenguaje burocrático, 152

Ley de Normas Laborales Justas, 167

Ley para la Protección de los Cónyuges de los Miembros de los Cuerpos Uniformados (USFSPA), 256

Li, Michael, 119

Libby, Bob, 14

Libros, 76-78, 163-164, 282

Lim, Up, 163

Límites de velocidad, 174, 214

Lock, Digby, 140

Loewenstein, George, 99

Long Tail, The («La larga estela»), (Anderson), 69

Lucarelli, Joseph, 183

Lugones, Maria, 283

MacBook, ordenadores portátiles, 117-118

Madonna, 98

Magrath, Scott, 243